El cine de terror

Paidós Studio

Últimos títulos publicados:

80. F. Askevis-Leherpeux - *La superstición*
81. J.-P. Haton y M.-C. Haton - *La inteligencia artificial*
82. A. Moles - *El kitsch*
83. F. Jameson - *El posmodernismo o la lógica cultural del capitalismo avanzado*
84. A. Dal Lago y P. A. Rovatti - *Elogio del pudor*
85. G. Vattimo - *Ética de la interpretación*
86. E. Fromm - *Del tener al ser*
87. L.-V. Thomas - *La muerte*
88. J.-P. Vernant - *Los orígenes del pensamiento griego*
89. E. Fromm - *Lo inconsciente social*
90. J. Brun - *Aristóteles y el Liceo*
91. J. Brun - *Platón y la Academia*
92. M. Gardner - *El ordenador como científico*
93. M. Gardner - *Crónicas marcianas*
94. E. Fromm - *Ética y política*
95. P. Grimal - *La vida en la Roma antigua*
96. E. Fromm - *El arte de escuchar*
97. E. Fromm - *La patología de la normalidad*
98. E. Fromm - *Espíritu y sociedad*
99. E. Fromm - *El humanismo como utopía real*
100. C. Losilla - *El cine de terror*
101. J. Bassa y R. Freixas - *El cine de ciencia ficción*
102. J. E. Monterde - *Veinte años de cine español (1973-1992)*
103. C. Geertz - *Observando el Islam*
104. C. Wissler - *Los indios de los Estados Unidos de América*
105. E. Gellner - *Posmodernismo, razón y religión*
106. G. Balandier - *El poder en escenas*
107. Q. Casas - *El western*
108. A. Einstein - *Sobre el humanismo*
109. E. Kenig - *Historia de los judíos españoles hasta 1492*
110. Á. Ortiz y M. J. Piqueras - *La pintura en el cine*
111. M. Douglas - *La aceptabilidad del riesgo en las ciencias sociales*
112. H.-G. Gadamer - *El inicio de la filosofía occidental*
113. E. W. Said - *Representaciones del intelectual*
114. E. A. Havelock - *La musa aprende a escribir*
115. C. F. Heredero y A. Santamarina - *El cine negro*
116. B. Waldenfels - *De Husserl a Derrida*
117. H. Putnam - *La herencia del pragmatismo*
118. T. Maldonado - *¿Qué es un intelectual?*
120. G. Marramao - *Cielo y Tierra*
121. G. Vattimo - *Creer que se cree*
122. J. Derrida - *Aporías*
123. N. Luhmann - *Observaciones de la modernidad*
124. À. Quintana - *El cine italiano, 1942-1961*
125. P. L. Berger y T. Luckmann - *Modernidad, pluralismo y crisis de sentido*
126. H.-G. Gadamer - *Mito y razón*
127. H.-G. Gadamer - *Arte y verdad de la palabra*
128. F. J. Bruno - *Diccionario de términos psicológicos fundamentales*
129. M. Maffesoli - *Elogio de la razón sensible*
130. C. Jamme - *Introducción a la filosofía del mito*
131. R. Espósito - *El origen de la política*
132. E. Riambau - *El cine francés, 1958-1998*
133. R. Aron - *Introducción a la filosofía política*

Carlos Losilla

El cine de terror

Una introducción

Edición y coordinación: Carlos Losilla

Fotografías: revista *Dirigido*, revista *Nosferatu* y archivo del autor

Cubierta de Mario Eskenazi

ISBN: 84-7509-886-X
Depósito legal: B-11.653/1999

Impreso en Novagràfik, S. L.,
Puigcerdà, 127 - 08019 Barcelona

Impreso en España - Printed in Spain

Para Elena, que aguantó el chaparrón.
Y a mis padres, que de algún modo lo provocaron.

SUMARIO

Prólogo 13

I. Imágenes inconscientes 17

II. El terror del cine 25

III. El mito del cine fantástico 35

IV. El cine de terror como género 45

V. ¿Una herencia expresionista? 59

VI. Las vías del clasicismo (1931-1954) 71

VII. El manierismo colorista (1957-1965) 109

VIII. El mal está entre nosotros (1965-1977) 139

IX. Un terror posmodernista (1978-1991) 161

X. ¿Un cine subversivo? 185

Filmografía esencial 195

Bibliografía básica 199

Índice de películas citadas 205

«Vinieron un día los hijos de Dios
a presentarse delante de Yaveh y
entre ellos estaba Satán.»

JOB, 1, 6

PRÓLOGO

El cine de terror clásico fue objeto entre los años 70 y 80 del siglo XX de una reivindicación que alcanzó tanto a los niveles más populares del público como a los más sesudos de la crítica cinematográfica. Sin duda, no resulta ajena a ello la indudable neurosis de los tiempos –agudizada por una crisis económica y política sospechosamente parecida a la que arrasó Norteamérica y Europa en los años 30–, pero tampoco deben olvidarse las muy especiales características del género en cuestión, es decir, su enorme capacidad para conectar con las fantasías más íntimas de la audiencia y, a la vez, para despertar la admiración de teóricos y críticos, dos cosas que sólo pudieron convivir en un espacio de tiempo de más o menos sesenta años.

Por todo ello, y por lo que vino después, la tesis implícita de este libro no parece sufrir inseguridad alguna, afirma que el «cine de terror» *como tal* se inicia en 1931 con *Drácula* y se clausura en 1991 con *El silencio de los corderos*, y sin embargo las dudas no cesan de acosar al crítico de una manera tan brusca como implacable. Por un lado, el modo de abordaje, el punto de vista teórico y práctico desde el que enfocar el acercamiento a un género tan conocido y divulgado. Por otro, digamos que el «formato» a escoger, la idiosincrasia del texto que deba resultar de una perspectiva semejante, con el fin de evitar cualquier tipo de exceso.

Habrá que empezar, pues, por la cuestión más urgente, que paradójicamente es la segunda: este libro no es una historia del cine de terror al uso, *no* pretende erigirse en un catálogo fílmico, ni mucho menos convertir su lectura en un bosque inextricable de nombres, títulos y datos. Si en el fondo es una historia, se trata de una historia condensada, sometida a un implacable proceso de síntesis, por lo que el lector sólo encontrará en ella aquellos filmes –en el fondo muchos, quizá demasiados– que resulten importantes para una comprensión rápida y esencial de los entresijos del género, escogidos siempre –muy cautamente– según dos criterios: aquellos que resultan más significativos en la historia del cine de terror, y aquellos que ilustran mejor el discurso que pretende hilvanar el libro.[1]

Pero no se asuste el lector, porque el libro que tiene entre las manos tampoco es lo que se podría llamar un-estudio-a-fondo-de-las-constantes-del-género, esa variante tan temida y peligrosa de la teoría fílmica más de moda últimamente. Sus planteamientos teóricos, sin duda –y por llamarlos de algún modo–, resultarán, para el analista serio, tan evidentes y facilones como un codazo en el estómago, y sus alusiones culturales parecerán tan escuetas y en el fondo inocuas como las de un libro de texto de bachillerato, pero es que en realidad no se ha intentado otra cosa: la obsesión sintética que caracteriza la parte histórica se convierte aquí, pues, en tosquedad y en culto al trazo grueso, pero siempre con la intención de resultar más directo, más libre de tráfagos innecesarios para un volumen de estas características.

¿Y qué características?, se preguntará el lector, cada vez más ansioso por saber de qué se trata. Digamos, pues, sin más tardanzas, que la intención del presente libro no es otra que satisfacer dos demandas perfectamente definidas: por una parte, servir al simple aficionado que desee ir un poco más allá en su conocimiento del género, y que además quiera disponer de una guía esencial para su recorrido; por otra, satisfacer al aprendiz de

1. Elección quizá tramposa, pero a la vez redimida por la sinceridad de su enunciación: todo análisis, por riguroso que parezca, tiene sus trucos. Por otra parte, esto conllevará para el lector una labor adicional: aplicar a los filmes de terror que no se mencionen en el texto –y que él recuerde con agrado o claridad– las constantes del género delimitadas en él con el fin de comprobar su validez general.

estudioso en sus ansias de contar con unas herramientas básicas –teóricas, filmográficas e incluso bibliográficas– para acometer una zambullida mucho más profunda en las procelosas aguas del cine de terror.

Como consecuencia de todos estos propósitos –sin duda tan ambiciosos como difíciles de conjugar–, el texto no ha podido eludir ciertas ingenuidades, del ya mencionado esquematismo de algunas exposiciones –sobre todo las de carácter sociohistórico– al indudable batiburrillo de precisiones teóricas que asoma la cabeza en determinados pasajes. Era un riesgo que se debía correr, y quizá los resultados sean los inevitables: de cualquier modo, si más no, sirvan como demostración del peligro de querer jugar a dos barajas, y además tan diferentes entre sí.

¿Qué decir, tras esto, del enfoque escogido, ese repaso cronológico que sigue pautas a la vez míticas, estéticas y sociológicas? Sin duda parcial y reductor, pero también a sabiendas de ello. Parcial porque procede de un punto de vista subjetivo –naturalmente: éste no es un trabajo científico–, así como de una visión concreta y determinada del cine de terror, y también porque sólo se propone tratar –lógicamente, dadas las características del libro– ciertos aspectos del género. Y reductor porque su exclusivismo, el deseo constante de seguir una línea teórica bien definida a lo largo del texto, corta el camino a posibles aportaciones adicionales, a puntos de vista complementarios y quizá más agudos, que no sin pesar cedo a otros colegas más avispados que yo.[2]

Siendo como es la crítica artística –y sobre todo la cinematográfica– lo que se podría llamar una demostración de lo obvio, estas páginas –finalmente– no pretenden, a pesar de todo lo

2. En este mismo sentido, las diferencias de abordaje en los capítulos dedicados a la cronología del género se deben a las diferencias existentes entre los propios periodos: no se pueden abordar de igual modo la rigidez genérica del clasicismo y la (excesiva) diversidad del modernismo; lo primero se puede hacer paso a paso, lo segundo necesita un resumen.

dicho, ser una interpretación personal de un género, sino una transcripción más o menos fiel de sus propuestas desde un determinado punto de vista. Muchas de las afirmaciones aquí expuestas, pues, pueden encontrarse, en realidad, en otros lugares, más o menos disfrazadas, e incluso el discurso básico que subyace a todo el texto podría emparentarse fácilmente con determinados clásicos analíticos que el lector reconocerá sin dificultad alguna en la bibliografía. No hay nada nuevo bajo el sol, es bien sabido, y quizá tampoco haya ya nada que decir con respecto a ciertas cosas de las denominadas «culturales». Pero la constante necesidad de hablar y de emitir teorías y opiniones es una de las características básicas de la especie humana, y si por añadidura esas teorías pueden echar más leña al fuego del debate, entonces el placer es doble. Quizá sea ésta, pues, la única razón por la que se ha escrito este libro: tan tosca y elemental como el terror incomprensible que a veces nos azota en las butacas de un cine. Si así fuera –créanme–, no podría imaginar una excusa mejor.

I
IMÁGENES INCONSCIENTES

«La emoción más antigua y más intensa de la humanidad es el miedo, y el más antiguo y más intenso de los miedos es el miedo a lo desconocido»: debería bastar esta afirmación, que inaugura el libro que dedicó Lovecraft al estudio de la literatura de terror (LOVECRAFT, 1989, pág. 7), para ilustrar, con inquietante laconismo, la base mítica de todas las formas artísticas que se han interesado una u otra vez por los miedos y fantasmas de la raza humana. En efecto, esa categoría que suele llamarse «lo desconocido», y que suele aludir a todo aquello que atenta frontalmente contra el concepto de «lo cotidiano», constituye la fuente inagotable de la que se han nutrido las distintas artes en su intento de reflejar lo irreflejable: fantasmas, vampiros, hombres-lobo, psicópatas, zombis, etc., no sólo aportan una condición física más o menos ajena a la «normalidad» reconocida por todos (desde la invisibilidad hasta los colmillos, pasando por la enajenación mental), sino que además la sustentan en conceptos a los que la mente humana suele rechazar por impensables, por inabarcables: la muerte, por ejemplo, convertida en tabú por el conjunto de la sociedad y reciclada en «paraíso» por la ideología cristiana, que provoca espanto porque supone dejar de existir, de estar en contacto con el mundo material y sensual, pero también porque resulta imposible saber qué hay más allá, es decir, por «lo desconocido» de sus propuestas.

A partir de ahí, de ese terror colectivo con respecto a lo que escapa a los límites de la razón, o mejor, de la razón *consciente,* el arte literario y figurativo ha procedido a crear, en todas las épocas, imágenes deformadas de la cotidianeidad que a su vez remiten a otro universo *oculto*, que sólo puede contemplarse mediante un filtro estético que actúe como exorcismo. En palabras de Freud, «la obra artística traza un hiato entre la represión pura de lo siniestro y su presentación sensible y real» (FREUD, 1974, citado por TRÍAS, 1982, pág. 41), un aserto que se erige así en la explicación más convincente que nadie haya dado nunca sobre las raíces del arte terrorífico y, en concreto –y aunque pueda parecer paradójico–, del cine de terror.

Es cierto que «lo siniestro», para Freud, no puede identificarse con «lo espeluznante», pero sí resulta algo muy cercano a «lo desconocido». El término utilizado en alemán por el autor –*unheimlich*– se refiere a todo aquello que se opone a lo íntimo, secreto, familiar, hogareño o doméstico, y que, por lo tanto, incide en el terreno de lo desasosegado, lo oculto que sale a la superficie en un momento dado, aunque en el fondo proceda de una cosa *conocida*. Vuelve a aparecer, pues, una doble realidad: por un lado, «lo familiar»; por otro, «lo oculto», «lo siniestro»; como paso de uno a otro, la experiencia, la revelación, que en este caso puede asimilarse a la manifestación artística.

De nuevo según Freud, «lo siniestro en las vivencias se da cuando complejos infantiles reprimidos son reanimados por una impresión exterior, o cuando convicciones primitivas superadas parecen hallar una nueva confirmación» (FREUD, 1974, citado por TRÍAS, 1982, pág. 39). Esa «impresión exterior», por supuesto, puede ser un objeto que reavive un recuerdo, pero también, y en consonancia con ello, una obra artística que actúe como catarsis y despierte esos «complejos infantiles reprimidos» de que habla el psicoanálisis. El arte, en este sentido –o digamos que cierto tipo de arte, incluido aquel en el que se enmarca la representación de lo horrendo–, actúa siempre como espejo de la realidad, y por lo tanto como espejo del lector o espectador, por lo que todo lo que muestra ante sus ojos acaba diciéndole algo acerca de él o de sus deseos prohibidos.

Pero esta condición especular debe asumir en algún momento una representación antropomórfica que haga más fácil la identificación, y es entonces cuando aparece en escena la figura del doble: el lector-espectador se ve reflejado en las páginas del libro, en el lienzo o en la pantalla, a través de una figura vicaria que realiza *en arte* aquello que él se ve obligado a reprimir en lo inconsciente, o aquello que su yo consciente repudia como inmoral o inconcebible.

La figura del doble[1] enlaza así con el concepto de lo siniestro: si esto último era aquello que provocaba el desasosiego por proceder de lo oculto, es decir, de lo inconsciente, el doble es la representación virtual del yo oculto, siniestro, del lector-espectador, reflejado en el papel o en la pantalla para provocar su identificación inconsciente. Al hilo de este razonamiento, Gérard Lenne habla de «dos universos» articulados por la figura del doble (LENNE, 1985, pág. 22), mientras que Robin Wood se refiere al «otro» como algo que se proyecta más allá del yo para concentrar en ello todo lo rechazado por lo consciente (WOOD, 1979), pero, en el fondo, ambos están refiriéndose a lo mismo: el universo, el reducto del lector-espectador (el mundo cotidiano: lo consciente), y el universo, el reino del doble de ese mismo lector-espectador (la obra de arte: el paso hacia lo inconsciente).

Tanto la concepción freudiana de la mente como la noción estética derivada de las funciones del doble, parecen basarse así en intuiciones anteriores que ya escapan a los límites del conocimiento «científico» para entrar plenamente en el terreno de las teorías artísticas. Lo consciente y lo inconsciente, lo cotidiano y lo desconocido, el espectador y su doble: se trata de elementos a la vez opuestos y complementarios que mantienen entre sí una extraña relación de dependencia, y que parecen moldearse según el canon nietzscheano de lo apolíneo y lo dionisíaco.

Al igual que la historia del arte, la obra encuadrada en el

1. Muy utilizada en cine –véanse si no películas como *Psicosis* o *El fotógrafo del pánico,* o incluso, ya más acá en el tiempo, un filme como *La noche de Halloween*–, pero también en la pintura y la literatura del siglo XIX, desde ciertas figuras que aparecen en algunos cuadros de Caspar David Friedrich hasta la utilización de la primera persona en los relatos de Edgar Allan Poe.

terreno de lo terrorífico o lo horrible es la única que oscila tenuemente entre dos opciones: por un lado, la cotidianeidad, la normalidad de la que parece nacer (códigos lingüísticos y sociales accesibles para todos); por otro, el magma de lo inconcebible que emana de esa situación primera (ruptura de esos mismos códigos). Se trata de un mecanismo idéntico al que rige la concepción nietzscheana de lo dionisíaco, es decir, aquello que se esconde tras lo apolíneo, el caos primitivo que acaba adaptándose a las armoniosas formas de lo considerado «bello».

Lo mismo sucede con la relación «psicológica» que se establece entre el lector-espectador y el objeto artístico. Las formas aparentemente cotidianas que evolucionan en la pantalla o en las páginas del libro, son en realidad la representación apolínea de un universo dionisíaco que emerge únicamente de vez en cuando, materializado en lo que se considera ajeno a las reglas de la normalidad vigente. Por ello, la figura del monstruo resulta ser el símbolo perfecto de esta extraña relación: un ser perteneciente a los abismos de lo dionisíaco que adopta las formas apolíneas de lo antropomorfo para poder convivir entre los humanos, ya se trate de la fascinante elegancia del conde Drácula o de la frágil vulnerabilidad del hombre-lobo. La narrativa y el cine de terror se situarían entonces, siempre según Nietzsche, en el mismo terreno teórico que la tragedia: «La difícil relación que entre lo apolíneo y lo dionisíaco se da en la tragedia se podría simbolizar realmente mediante una alianza fraternal de ambas divinidades: Dioniso habla el lenguaje de Apolo, pero al final Apolo habla el lenguaje de Dioniso...» (NIETZSCHE, 1981, pág. 172).

De este modo, la capacidad de identificación del lector-espectador no sólo se apoya en la existencia del doble, sino que profundiza aún mucho más en los terrenos de lo inconsciente para encontrar reflejado en la obra artística su propio yo escindido. El magma dionisíaco de lo inconsciente se ofrece a la psique bajo la forma reconocible de lo apolíneo, de lo consciente, de lo cotidiano. En otras palabras: lo bello esconde lo siniestro y lo conocido conduce a lo desconocido, pero sin necesidad de fronteras ni de límites. Las formas aparentemente opuestas van moldeándose entre sí, fluyen con libertad partiendo de lo «familiar» para llegar a lo «extraño», de manera que «lo desconocido» no opera como mundo aparte con respecto a lo conocido, sino que acaba constituyendo su perfecto reverso.

Lo conocido y lo desconocido, lo bello y lo siniestro, lo consciente y lo inconsciente, lo apolíneo y lo dionisíaco... Según todo esto, la representación artística de lo horrible parece basada en un sistema de opuestos que afectan tanto a la mente humana como a su relación con lo representado, pero en medio de esta selva conceptual es de nuevo Freud quien proporciona la síntesis perfecta. Sin duda, el elemento que rige los destinos ocultos de la psique no puede limitarse a la denominación de «inconsciente», sino que debe ampliarse hasta alcanzar una mayor entidad, no sólo en oposición a lo consciente, sino también al propio yo. Así pues, el «ello», según la denominación otorgada por Freud a esa otra porción de la psique, se erige en el mecanismo que rige las pasiones, en oposición al yo, que «representa lo que pudiéramos llamar la razón y la reflexión» (FREUD, 1974, pág. 2708).

El ello es algo así como una fuerza elemental que tiene su origen en las pulsiones primitivas, en el deseo en estado puro, y que se niega a tener en cuenta las limitaciones del yo. Al mismo tiempo, mantiene una lucha sin cuartel con otro «segmento del yo que lo vigila críticamente» y que Freud denomina superyo (GAY, 1989, pág. 462). Este último elemento constituye, literalmente, el ideal del yo, es decir, aquello que el yo se ve obligado a ser a causa de las presiones familiares y sociales, y como tal queda enfrentado al ello, que intenta arrastrar al yo hacia el placer incontrolado y el cumplimiento de todos los anhelos inconscientes.

En este pequeño resumen de la teoría freudiana queda reflejado, pues, el conflicto desatado en el interior de cualquier obra artística que intente reflejar el terror ante lo «anormal» o lo «desconocido». En efecto, eso que el lector-espectador llama «terror» nace de su enfrentamiento con sus propios deseos o pensamientos reprimidos procedentes del ello: en otras palabras, el lector-espectador siente terror porque se ve obligado a mirar o imaginar la representación figurativa de sus propios fantasmas. Por un lado, intenta mantenerse en los límites que le impone su educación social, es decir, el superyo, que le conmina taxativamente a aborrecer el mal y la violencia, lo distinto y lo horrible, en nombre de un supuesto «bien común», de una especie de dependencia colectiva que debe obedecer ciertas reglas si desea sobrevivir. Por otro, no puede evitar sentirse fascinado por todos los acontecimientos que se desarrollan ante sus ojos, puesto que en realidad provienen de esa parte de sí mismo, el ello, que le impulsa inconscientemente a dejarse arrastrar por cualquier tipo de pasiones, por inconcebibles o aberrantes que sean.

De ahí que la tensión generada por el enfrentamiento con esta contradictoria experiencia provoque en el lector-espectador esa mezcla de placer e incomodidad que suele acompañar a la lectura de un relato de Machen, a la contemplación de ciertos lienzos de Fuseli o al visionado de un filme de Terence Fisher. Tomemos, por ejemplo, las películas producidas por la Universal en los años 30, basadas íntegramente en la figura del «monstruo», es decir, en la apoteosis de la diferencia con respecto a las normas establecidas. La criatura del doctor Frankenstein, por abordar el caso más típico, es literalmente el producto de una psique escindida entre la pasión por la ciencia (el superyo) y la tendencia hacia la transgresión, hacia la negación de un Dios concebido por las normas vigentes como el único capaz de crear vida (el ello). El resultado es un monstruo que a la vez fascina y repugna al espectador, puesto que se trata de la materialización de su propia lucha: la entablada entre sus deseos inconscientes, primitivos y antisociales, que le impulsan a la solidaridad con la criatura, y las restricciones aprendidas, impuestas por el entorno social, que le obligan a desear la desaparición física del monstruo.

Lo mismo ocurre en relación con el emisor, es decir, con los autores del producto en cuestión, sea literario, pictórico o cinematográfico. En realidad, la obra como tal expone los miedos, los fantasmas de sus hacedores: una representación de su inconsciente directamente emanada del ello y que se pretende domesticar mediante las reglas del superyo, disfrazadas estéticamente mediante la codificación genérica y sus consiguientes reglas. De este modo, y por poner un ejemplo, los cuadros de Turner, que parecen describir literalmente los abismos insondables de lo desconocido, acaban amparándose, en su figuración última, en el terreno del género paisajístico, es decir, acaban practicando un severo modelado del flujo inconsciente del ello, convirtiéndolo en un producto aparentemente sujeto, en estética e ideología, a los dictados del superyo.

Esta intervención del género, del modelo socialmente reconocido, se apoya igualmente en otro concepto psicoanalítico, aunque de raíz muy distinta a los de Freud. Lo dionisíaco modelado por lo apolíneo, lo siniestro dominado por lo bello, el ello domado por el superyo, dan lugar a ciertas figuraciones, ciertos cánones cuyo punto de partida es la noción de arquetipo, en un sentido más o menos junguiano (JUNG, 1990). Si el género es la codificación formal del terror, el arquetipo es la base de su ordenación temática. En este sentido, la literatura y el cine de terror organizan sus esquemas alrededor de ciertas figuras centrales que aglutinan en sí mismas la escisión básica entre el ello y el superyo, ya sea mostrándola por transformación (la mayoría de los llamados «monstruos») o en el propio interior de la mente humana (la locura, la psicopatía), en el fondo las dos temáticas principales del género como tal.

Así, del inconsciente individual de Freud al inconsciente colectivo de Jung, el terror hacia lo desconocido alcanza su máxima expresión cuando las pulsiones individuales del espectador y sus miedos como ser social, perteneciente a un grupo biológico e históricamente determinado, encuentran una codificación estética común que permite a la vez experimentarlo y exorcizarlo. Como ya delata el tratamiento del punto de vista y de la figura del doble, las artes tradicionales han intentado a lo largo de los siglos desempeñar esa función puramente ritual, a través de la representación figurativa y sistemática de los terrores colectivos, y sobre todo mediante la utilización de tres formas extrañamente emparentadas entre sí: el relato oral, el cuento y la pintura.

En su espléndida indagación acerca de la literatura fantástica, Louis Vax destaca tres características esenciales: «Brevedad del relato, sobriedad en los detalles, tensión orientada al desenlace...». Y continúa: «La novela corta tiene más semejanzas con la representación dramática que con la literatura novelesca. ¿Quién puede extrañarse? *La historia que atrae al ojo es hija de la que cautivaba al oído.* Está cerca de esa forma escueta de drama que es el monólogo» (VAX, 1970, pág. 32: la cursiva es mía). De este modo, la brevedad, la sobriedad y la tensión pueden aplicarse tanto al cuento literario como al cuadro: mientras el primero, hijo de la literatura oral, condensa en unas cuantas estructuras verbales la fascinación por lo extraño y lo horrible, el segundo traslada ese fenómeno a la mirada, lo adapta a una representación visual, le otorga un marco –en los sentidos literal y figurado del término– que lo separa del universo cotidiano y lo proyecta hacia otra dimensión, todo ello a partir de un único objeto en el que se concentran formas y colores.

Pero tanto la contemplación de un cuadro como la lectura de un libro son actos netamente individuales, nacidos igualmente de un gesto intensamente personal, el del propio autor de la obra. La creación cinematográfica, en cambio, es un hecho colectivo dirigido a una colectividad: la que se reúne, como en una ceremonia, en las salas de cine, dispuesta a compartir mitos y arquetipos capaces de afectar a la totalidad de la audiencia. Esta «historia que atrae al ojo» aún mucho más que la pintura –puesto que le añade el movimiento, la narración y, a partir de cierto momento, la propia palabra– acaba siendo así, por su capacidad para la rememoración atávica, el último hijo del relato oral.

II
EL TERROR DEL CINE

Muchos son ya los teóricos que coinciden en la consideración del cine como el medio artístico más dotado para la representación de lo horrible y lo terrorífico. En otras palabras, para el encuentro del espectador con el reflejo de su propio inconsciente reprimido. Ivan Butler, por ejemplo, habla de «su habilidad para conjurar lo fantástico con convicción, del poder de la cámara para penetrar bajo la superficie de lo aparentemente normal y seguro, de su capacidad para dirigirse individualmente a todos y cada uno de los espectadores, o de conducirlos hacia el interior de sí mismos, mediante el uso del primer plano, y finalmente de su efecto hipnótico, puesto que un filme se contempla en la oscuridad y consiste en formas que se mueven sobre un fondo que refleja la luz, un efecto que resulta aún más intenso cuando se contempla desde una posición ligeramente inferior a la de la pantalla, es decir, desde las butacas de un cine» (BUTLER, 1967 y 1970, págs. 9-10).[1]

Gracias a esta condición onírica que tan hábilmente conjuga oscuridad, formas fantasmales y fantasías inconscientes, el cine ha estado asociado con las sensaciones que provoca el terror prácticamente desde sus inicios. Por ejemplo, una película tan sencilla como *La llegada del tren* (L'arrivée d'un train en gare de la Ciotat, 1895), de los hermanos Lumière, causó ya en sus primeros espectadores parisinos un miedo seguramente mucho más intenso que el que luego experimentaron con los primeros filmes mudos de terror.

1. A partir de ésta, las traducciones de todos los fragmentos de las obras de consulta inéditas en España son mías.

La peliculita consistía en un único plano fijo: un andén que cruzaba la pantalla en diagonal, y por el que aparecía, al fondo del encuadre, un tren que se iba aproximando, lenta e inexorablemente, hacia el primer plano de la acción. Naturalmente, los espectadores, aún muy poco acostumbrados a las reglas del recién nacido cinematógrafo, experimentaban la viva impresión de que la locomotora podía abalanzarse sobre ellos en cualquier momento, por lo que muchos abandonaban la sala precipitadamente.

He aquí, pues, un tipo de terror producido, no por las formas concretas que aparecen en la pantalla –nadie podía tener miedo de una locomotora en 1895–, sino por las propiedades intrínsecas del medio en cuestión, por la inteligente utilización de la profundidad de campo, que provocaba un suspense genuino, sin precedentes en el resto de las artes figurativas.

De la misma .manera, la propia sintaxis cinematográfica, sobre todo a partir de Griffith, plantea enigmas irresolubles en lo referente al terror provocado en ciertos espectadores. Se dice que los integrantes de algunas tribus africanas con formas de vida aún primitivas, sentían un pánico irrefrenable al contemplar un primer plano de una cabeza o de cualquier otro miembro del cuerpo humano: para ellos, se trataba de una verdadera mutilación, o, en el peor de los casos, de un acontecimiento sobrenatural. El primer plano en sí mismo supone algo así como una apoteosis del despedazamiento, que sólo podemos asimilar gracias a nuestra espontánea comprensión de las reglas técnicas y narrativas del llamado cinematógrafo.

Algo debe de existir en el origen mismo del cine que provoque este pánico exacerbado, mucho más dependiente de la propia representación que del objeto representado. En efecto, el cine es un arte de naturaleza escoptofílica, que –como el arte de lo horrible a través de las épocas– causa simultáneamente placer e incomodidad en el espectador. El placer proviene de una base erótica: la satisfacción que se experimenta al mirar a otro, es decir, y en términos nuevamente freudianos, al convertirlo en objeto sexual. La incomodidad, por su parte, se basa en la propia esencia de esa misma operación: los espectadores masculinos, por ejemplo, miran a las mujeres que aparecen en la pantalla con un claro anhelo de posesión, lo cual deja al descubierto sus instintos primitivos e incluso asesinos, a través del proceso de lo que se podría llamar una «violación visual».

En un espléndido artículo que puede considerarse ya un clásico, Laura Mulvey va más lejos y afirma que la figura de la mujer representa para el hombre la ausencia de pene, es decir, la amenaza de la castración, y de ahí que el espectador masculino pretenda «congelarla» con su mirada, fijarla para siempre como objeto erótico en los límites de la pantalla cinematográfica (MULVEY, 1975, pág. 314). De este modo, el propio acto de la contemplación cinematográfica por parte del espectador masculino se convierte por sí mismo en un acto de horror, a la vez un crimen sexual (la «violación») y una ceremonia de la autodestrucción (la «castración»), hecho agudizado por las formas narrativas clásicas de la representación dominante.

De esta característica intransferible del cine procede una de las vertientes más populares y discutidas del género terrorífico: las llamadas *psycho-movies,* películas protagonizadas por psicópatas asesinos y dedicados a mostrar masacres en serie, crímenes más o menos rituales que se ofrecen a los ojos del espectador bajo su apariencia más sádica y cruel. La prehistoria de este subgénero pertenece a Alfred Hitchcock y Michael Powell, concretamente a dos obras maestras como son *Psicosis* (Psycho, 1960) y *El fotógrafo del pánico* (Peeping Tom, 1960) (véase el capítulo VII), pero el grueso de la producción se desarrolla en los años 70 y 80, sobre todo a partir de filmes como *La matanza de Texas* (The Texas Chainsaw Massacre, 1974) o *La noche de Halloween* (Halloween, 1978), dirigidos respectivamente por Tobe Hooper y John Carpenter, convertidos después en respetables artesanos del género (véanse los capítulos VIII y IX).

En efecto, en las películas de Hitchcock y Powell, uno de los instrumentos básicos para la contemplación del cine, la mirada, se convierte, en manos de los protagonistas, en un arma decididamente mortal: tanto el Anthony Perkins de *Psicosis* como el Carl Boehm de *El fotógrafo del pánico* son dos *voyeurs* que airean sus frustraciones sexuales mediante lo que se podría llamar el «acoso visual», la contemplación del cuerpo femenino mediante un objeto interpuesto. El de que, en el filme de Powell, ese objeto sea precisamente la cámara cinematográfica, no hace más que intensificar el malicioso «mensaje» de estas películas: el poder «aniquilador» del propio cine, su capacidad para convertir también en objeto al cuerpo humano y, al mismo tiempo, reducir al mirón –el espectador– a la muerte simbólica, tanto en el sentido sexual como en el real.

Como consecuencia, no es de extrañar que las películas de terror de más éxito popular de los años siguientes sean precisamente las descendientes de estas dos piezas maestras: la identificación del espectador –sobre todo masculino– con el asesino-mirón ha dado sus frutos en una sucesión de fantasías sádicas que a veces se convierten en el único aliciente de la función –como sucede por ejemplo en la serie de *Viernes 13*– pero que de todas formas siguen ancladas en la agresividad sexual, incontrolada e inconsciente, inherente al espectáculo cinematográfico. En este sentido, este tipo de películas resultan ser el máximo exponente de la reducción de la mujer a la condición de objeto –algo que no sucedía en los filmes de Hitchcock y Powell–, de instrumento sexual fabricado únicamente para el coito y la violencia, mucho más aún que ciertos ejemplares del llamado «cine pornográfico».

Así, el espectador, convertido en *voyeur* sexual, utiliza la pantalla cinematográfica como intermediario entre su propia persona y su deseo reprimido/inconsciente reflejado en las imágenes que contempla, tal como Carl Boehm utilizaba el visor de su cámara y Anthony Perkins los agujeros practicados en las paredes de su motel. Teóricamente a salvo de sus propios fantasmas, alejado de ellos por el poder distanciador del mecanismo cinematográfico, congela sus terrores en las sombras que desfilan ante sus ojos, exorciza sus instintos sádicos adjudicándoselos al personaje ficticio que actúa como su doble y al que la clausura del relato ajusticiará convenientemente para tranquilizar los ánimos de la audiencia y devolver al inconsciente sus fantasías.

Pero la capacidad del cine como tal para generar sensaciones de terror y angustia a partir de su propio lenguaje y de su condición va aún mucho más lejos. Si por un lado, como se ha visto, el espectador se ve abocado al cumplimiento de sus anhelos más ocultos e inconfesables (la liberación del ello: véase el capítulo I), por otro se ve enfrentado, no sólo a lo abominable de sus propios deseos inconscientes, sino también a contemplar ciertos objetos, ciertos mundos, ciertas situaciones, que jamás hubiera deseado ver. Marc Vernet localiza, concretamente en el cine clásico, cinco figuras representativas de lo que él llama «lo vacío, el deslizamiento inmaterial, el movimiento puro o la inmovilidad total» (VERNET, 1988, pág. 6). Como puede verse, se trata de categorías que escapan a la representación de lo que se considera «normal» y cotidiano, y que por ello hacen ingresar al espectador en un universo enrarecido, que varía su percepción habitual y que, por lo tanto, también le produce un cierto desasosiego: el terror de estar contemplando lo desconocido de que hablaba Lovecraft (véase el capítulo I).

Las figuras en cuestión son la mirada a la cámara, la mirada de la cámara, la sobreimpresión, el personaje pintado y el personaje inexistente. Las dos últimas escapan a los límites de la ordenación sintáctica, por lo que no tienen nada que ver con el cine entendido como lenguaje autónomo: centrémonos, pues, en las tres restantes. La primera de ellas –que se produce cuando un personaje de la ficción sale, por así decirlo, momentáneamente de ésta, mira cara a cara al espectador, y llama su atención ya sin intermediario alguno– enlaza directamente con las propuestas de Laura Mulvey, constituye una especie de respuesta airada del personaje a la mirada inquisitiva del espectador. En el exterior del género terrorífico, Vernet menciona la escena final de *El crepúsculo de los dioses* (Sunset Boulevard, 1950), de Billy Wilder, en la que una enajenada Gloria Swanson mira fija, casi furiosamente al espectador, desde las profundidades de su locura. Se trata de una mirada que, encuadrada en un género ajeno a lo terrorífico, no pretende producir horror ni pánico en la audiencia, pero que de todas formas acaba provocando un miedo indefinible: el miedo al territorio desconocido cuya frontera ya ha cruzado el personaje.

Aplicada al cine de terror, esta mirada puede llegar a alcanzar la categoría de lo insoportable. Volviendo a *Psicosis,* la escena final se ha hecho famosa por contener una de las interpelaciones a la cámara más turbadoras de toda la historia del cine: la mirada de Norman Bates (Perkins), directamente lanzada a los ojos del espectador desde su ya irremediable enajenación, se convierte sin solución de continuidad en la mirada de lo insondable, del abismo interior del protagonista que puede ser también el de cualquiera de los espectadores.

Se trata de una verdadera rebelión del personaje ficticio, del doble que el relato ha instaurado expresamente para nosotros y que los mecanismos de identificación –el punto de vista, sobre todo, tan diestramente utilizado por Hitchcock– han convertido en auténtico representante del espectador en la pantalla (véase el capítulo I). De este modo, ese personaje no sólo nos introduce en la ficción, sino que nos comunica sin tapujos ni intermediarios el significado de su mirada: el hecho de que él también puede vernos, es decir, de que el funcionamiento de la ficción es en realidad reversible y, por lo tanto, puede llegar a aniquilar lo real.

Hay otra mirada igualmente inquietante, pero que ya no pertenece a forma humana alguna: la mirada de la cámara, la segunda de las figuras mencionadas por Vernet. Aquí no es el personaje el que nos arrastra al interior de la ficción, sino la propia cámara, el emisor diegético, y sin embargo el efecto es prácticamente el mismo: la identificación del espectador con ese personaje. No obstante, lo que en la figura anterior es una interpelación, se convierte ahora en una *inmersión,* puesto que el espectador no se siente «llamado» desde la pantalla, sino que es invitado –casi amablemente en algunas ocasiones, algo bruscamente en otras– a compartir la mirada del personaje.

De cualquier forma, se trata igualmente de una experiencia turbadora. La filmación subjetiva, en realidad la esencia de este procedimiento, puede adoptar básicamente dos formas principales: el simple plano subjetivo, inserto en el flujo del relato para subrayar la impresión personalizada de determinado personaje del filme, y la llamada cámara subjetiva, mediante la cual el espectador comparte *sin interrupción* la experiencia visual de uno de los personajes. Y esto último, que parece tan sencillo e incluso atractivo, puede llegar a provocar una asfixiante sensación de vértigo, el convencimiento de que la totalidad del universo exterior se sitúa en oposición frontal, violenta, a nuestra mirada.

Tomemos, por ejemplo, otra de las películas que cita Marc Vernet en su libro: *La dama del lago* (Lady in the lake, 1947), de Robert Montgomery, un *film noir* que tampoco tiene nada que ver con el cine de terror. Aquí la cámara subjetiva domina el relato por completo, puesto que la totalidad de la acción aparece contemplada desde el punto de vista del protagonista, al que, en consecuencia, no vemos nunca. De esta manera, la mirada de la cámara queda superpuesta a su aparente reverso, la mirada a la cámara: el espectador se ve condenado a mirar a unos personajes que en realidad también le están mirando a él, con lo que la sensación de incomodidad, de temor, de ansiedad ante ese control constante por parte de la ficción, se hace aún más evidente que en el dispositivo –mucho más simple– del plano subjetivo.

Tercera de las figuras mencionadas por Vernet, la sobreimpresión es quizá la más clarificadora de ellas en cuanto a la relación del cine con la producción de inquietud ante lo desconocido, sin necesidad de disfraz genérico alguno. En efecto, si se aborda en una de sus versiones más frecuentes, el fundido encadenado, a la oposición meramente espacial que sugerían tanto la mirada a la cámara como la mirada de la cámara (el personaje mira al espectador *desde allá,* el espectador contempla otra dimensión *desde acá*),[2] la sobreimpresión puede añadir la superposición de dos universos *temporales* distintos, sin salir del terreno del emisor (el espectador *se ve arrastrado* por la ficción a una especie de pequeño viaje en el tiempo).

Por otro lado, el momento mismo del fundido encadenado, el instante en que los dos planos quedan superpuestos, representa otra perturbación del orden figurativo habitual para el espectador: lo definido se convierte en difuso, lo concreto se convierte en abstracto. Dos figuras alejadas en el tiempo y en el espacio pueden aparecer entonces juntas en el mismo plano, e incluso dar la impresión de que están compartiendo la misma dimensión por unos segundos.

Todo ello supone una aguda subversión tanto de nuestros parámetros cotidianos como de nuestra percepción ocular. Sumerge al espectador en un mundo en el que todo es posible, para bien o para mal, en el que se puede saltar de año en año en un segundo, poner en contacto a dos amantes que piensan el uno en el otro a kilómetros de distancia, o regresar fulminantemente a un pasado feliz desde la tétrica habitación del presente. Y del mismo modo, desfigura los rostros, difumina los objetos, deforma los paisajes...

Lo que experimenta el espectador ante estos fenómenos visuales parece hoy en día ya muy difícil de definir: la costumbre y la codificación han conseguido que no sienta ya extrañeza alguna frente a sus abundantes manifestaciones en el relato fílmico. Pero, de todas formas, persiste una especie de expectante fascinación: el *flash-back* por medio del fundido encadenado, por ejemplo, provoca siempre en el espectador una extraña tendencia a dejarse llevar por el relato, a convertir ese momento con-

2. Siempre tomando como punto de partida, claro está, la propuesta temporal del relato, y no la del espectador: ésta sería ya otra historia.

creto –el de la sobreimpresión– en el símbolo de una autoaniquilación, de un abandono de la linealidad temporal –es decir, de la vida cotidiana– en favor de un imaginario figurativamente desquiciado que le conducirá al pasado, a un tiempo en el que ni el relato presente ni él mismo existían, es decir, a la nada, a la muerte: la atracción por el abismo de lo pretérito que representa la negación de la vida.

Indudablemente, estos tres mecanismos no agotan las posibilidades del cine como provocador de turbación e inquietud, sea cual fuere el género en funcionamiento. Sin embargo, resultan extremadamente útiles para demostrar que ciertos procedimientos exclusivos del lenguaje cinematográfico están ya *por sí mismos* relacionados con lo que Freud llamaba *lo siniestro,* es decir, la aparición de una sensación de extrañeza y malestar ante un objeto que nos era familiar y conocido (véase el capítulo I). Cuando, por ejemplo, una película cualquiera utiliza la cámara subjetiva en alguna de sus escenas, lo que se produce es un salto, una fisura entre el modo de visión establecido como normal, familiar, y otra manera de mirar que obliga al espectador a enfrentarse a un universo que le exige un cambio radical en sus esquemas perceptivos. Del mismo modo, el fundido encadenado por sobreimpresión actúa en un doble frente similar: no sólo varía ciertos *apriori* espaciales y temporales, sino que también subvierte las normas de la figuración clásica, diluye momentáneamente las formas apolíneas en el magma dionisíaco de lo indefinible...

De todo esto se deduce que el cine, con respecto al espectador, ostenta una doble y misteriosa naturaleza: por un lado, el receptor del mensaje es capaz de intervenir en la ficción a través de una posesión sexual simbólica (conversión del cuerpo femenino en objeto, etc.); por otro, se ve conminado a permanecer silencioso en su asiento soportando otro tipo de posesión, esta vez aplicada a su propia persona, según la cual se le obliga a ver y mirar cosas que atentan frontalmente contra su concepción habitual de la realidad (las tres figuras de Vernet, por ejemplo). El espectador, pues, posee y es poseído, extorsiona simbólicamente y es extorsionado lingüísticamente, en un proceso a través del cual se ve enfrentado a algunos de sus temores más indefinibles (sus propios instintos sádicos, la rebelión del doble, la «desfiguración» del mundo que conoce, etc.), no por inconscientes y controlados menos turbadores.

Así pues, la famosa máxima de Adorno referida a *King Kong* (King Kong, 1933) –«La gente se prepara a sí misma para enfrentarse a sus terrores familiarizándose con las imágenes gigantescas»– puede tener sin duda, a la luz de todo esto, una lectura más amplia, hábilmente sintetizada por Paul Coates en un libro a todas luces admirable: «Las películas de terror son la forma esencial del cine, pues su monstruoso contenido se representa a sí mismo en la monstruosa forma de la gigantesca pantalla» (COATES, 1991, pág. 77). La pantalla como símbolo de un lenguaje, de un modelo de comunicación que provoca por sí mismo, y a la vez, fascinación e inquietud.

•

III
EL MITO DEL CINE FANTÁSTICO

Sin lugar a dudas, la rigidez taxonómica que rige la creación de géneros no es más que una convención, el resultado de un acuerdo entre estudiosos y teóricos que necesitan nombrar, numerar, clasificar. Pero también es, por ahora, la única manera de poder analizar ciertos grupos de filmes en un sentido a la vez mítico, social y estético, puesto que el género parte de unas bases inconscientes, hunde sus raíces en una estructura colectiva y, finalmente, acaba modelando sus propias formas y estableciendo sus propias reglas compositivas. Se trata de una dinámica que también afecta al cine entendido como exorcismo colectivo y como mecanismo lingüístico generador de malestar, el cual, para convertirse ya *explícitamente* en productor social de terror, se ve necesitado de una canalización, un código, precisamente lo que las teorías del arte denominan un género (véase el capítulo I). Y por supuesto, ese género debe tener sus límites, sus fronteras: la línea divisoria a partir de la cual cesa su dominio y empieza otro.

¿Cuál es, entonces, la mejor manera de cumplir todos estos requisitos, de abordar el cine de terror como tal, con el fin de investirlo convenientemente de un estatuto, de unas reglas que lo definan en su esencia? Quizá la denominación que más fortuna ha experimentado en este sentido sea la que viene utilizando la crítica francesa desde hace ya mucho tiempo, referida a la existencia de un conglomerado al que supuestamente debería llamarse cine fantástico: lo que ellos bautizaron como *fantastique,* un concepto que con el tiempo ha pasado a formar parte automáticamente de la mayor parte de las jergas teóricas, incluida la española, con los consiguientes abusos en su utilización y aplicación.

El término se usa también de manera habitual en el terreno del arte y la literatura, como demuestran ciertos trabajos básicos para su comprensión general (VAX, 1970; TODOROV, 1972), pero es en el cine donde ha experimentado una presencia más sólida y continuada. En efecto, el *fantastique* suele englobar usualmente todas aquellas películas que se distinguen por su peculiar alejamiento de la realidad establecida, es decir, por su tránsito a través de una zona indeterminada, difusa, básicamente irreconocible con respecto al universo cotidiano.

En este punto, las matizaciones teóricas empiezan a diverger y a constituirse por sí mismas en tendencias aisladas, obsesivas, a veces a causa de disensiones mínimas. Para continuar con los franceses, por ejemplo, tenemos los casos paradigmáticos y ya famosos de René Prédal y Gérard Lenne. Se trata de dos autores que publicaron por primera vez sus ya clásicas obras de referencia en el mismo año y que, sin embargo, muestran ya una cierta distancia en sus planteamientos: el primero de ellos establece las bases, sienta los fundamentos para una definición sistemática del *fantastique,* mientras que el segundo instaura el detalle y la puntualización. Para Prédal, «es fantástico todo aquello que perturba y a menudo inquieta, todo lo que se refiere al sueño más que a la realidad, todo lo que desafía a la experiencia, a la racionalidad y a la lógica» (PRÉDAL, 1970, pág. 8). Para Lenne, en cambio, «el *fantastique* es la confusión (en el sentido más preciso y matemático) entre la Imaginación y la Realidad, el choque entre lo Real y lo Imaginario» (LENNE, 1985, pág. 18).

El discurso de ambos teóricos, sin embargo, acaba transitando por los mismos caminos: el *fantastique,* en definitiva, utiliza siempre la Realidad como punto de referencia, bien para enfrentarse a ella, bien para deformarla y convertirla en *otra cosa,* una tierra de nadie cuyos paisajes y pobladores comparten rasgos de nuestra cotidianeidad y a la vez la subvierten mediante ciertos elementos ajenos a ella.

En un artículo publicado algunos años más tarde en la revista

Dirigido por..., el especialista español José María Latorre venía a confirmar estas tesis en un sobrio ejercicio de carácter teórico: para él, el verdadero *fantastique*, término que acepta con diáfana convicción, no consiste en la exposición de «dos mundos contrapuestos y radicalmente diferenciados», sino en la presentación de «sólo uno, del que se desconocen los límites, sensible y sometido a oscilaciones e influencias de toda naturaleza y procedencia», no dos universos, sino –atención– «dos distintas manifestaciones de lo real» (LATORRE, 1977, n. 47, pág. 35).

Así pues, instituida esta mención a la Realidad como punto de referencia insustituible para la definición de lo fantástico, las películas asociadas al concepto deben compartir indefectiblemente una característica: la presentación –en cualquiera de sus partes– de ciertos elementos que transgredan la noción de cotidianeidad, que sitúen ante el espectador un mundo distinto al que está acostumbrado a ver o a intuir a través de la experiencia ajena, por extraña o abominable que ésta sea. En otras palabras: la introducción en un contexto convencionalmente real de elementos pertenecientes a otro concepto de la realidad. Como consecuencia, el espectro fílmico abarcado podría ir, por poner algunos ejemplos, desde *Legend* (Legend, 1985), de Ridley Scott, donde el universo presentado en la pantalla se ofrece desde el principio como algo absolutamente «fantástico» y «maravilloso», hasta cualquiera de las versiones del mito de Frankenstein, en el que el único elemento alejado de la realidad convencional, el monstruo, podría en última instancia explicarse –verosimilitud aparte– mediante ciertos conceptos científicos.

La zona intermedia entre estos dos paradigmas estaría entonces poblada por todo tipo de productos: no sólo las películas de vampiros, zombis, extraterrestres u hombres-lobo, sino también aquellos filmes que, en virtud de ciertos planteamientos intelectuales, necesitan acudir a regiones conceptuales y figurativas relativamente alejadas de la realidad cotidiana, tanto las fantasías de Fellini como ciertas elucubraciones de Resnais, o incluso algunas películas de género –comedias, melodramas, musicales...– capaces de introducir en su discurso referencias a un universo extraño, inidentificable, normalmente ajeno a sus reglas habituales.

De este modo, aglutinador de códigos y tendencias, el cine fantástico se niega a sí mismo como género: traspasa fronteras, comparte reglas y se dispersa en múltiples iconografías. Como antídoto, Gérard Lenne intentó en el libro ya citado establecer una mínima distinción, señalizar un poco los límites mediante una simple marca gramatical, es decir, dotar a cierto cine fantástico de unas comillas distintivas para diferenciarlo del otro, para convertirlo en «fantástico». Así, las películas conscientemente fabricadas como «fantásticas» pueden constituirse en género, aunque sólo sea desde un punto de vista comercial, y diferenciarse del resto, simples usuarias de elementos fantásticos para densificar su discurso. Para entendernos, y por tomar ejemplos del propio Lenne, *Muriel* (Muriel ou le temps d'un retour, 1963), de Alain Resnais, sería un filme fantástico, mientras que *Sólo un ataúd* (1967), de Santos Alcocer, se erigiría por sí mismo en filme «fantástico» (LENNE, 1985, pág. 23).

Tal distinción, sin embargo, debe enfrentarse a numerosas confirmaciones casi involuntarias de la inexistencia del *fantastique* como género, debidas casualmente a las mismas plumas que intentan otorgarle un cierto estatuto codificador. René Prédal, pongamos por caso, afirma tajantemente que «el *fantastique* no es un género cinematográfico codificado, reconocible, provisto de reglas como por ejemplo la comedia musical o el *western*» (PRÉDAL, 1970, pág. 7), mientras que el propio Lenne reconoce que la instauración de un género fantástico obedece antes que nada a la necesidad de «una etiqueta comercial» (LENNE, 1985, pág. 23). Y para rubricar las intervenciones, he aquí de nuevo a Latorre: «La mayor equivocación que se viene cometiendo, teórica y prácticamente, al afrontar el análisis o la realización de un film "fantástico" es, precisamente, el considerar previamente la significación de este entrecomillado. O, dicho de otra forma, el plantearse una obra identificada dentro de un conjunto de estilemas –el género– y caracterizada por sus propios signos convencionales –las convenciones de narración» (LATORRE, 1977, n. 46, págs. 60-61).

Descartados los franceses, pues, quizás habría entonces que trasladarse a otras latitudes para abordar como género lo que hasta aquí venimos llamando cine de terror. Ignorada, a menudo vilipendiada por aficionados y especialistas,[1] la crítica anglosajona parece mostrar en este sentido una actitud muy distinta con respecto a este tipo de películas. En primer lugar, suele rechazar frontalmente la inclusión del cine de terror en el llamado *fantastique,* alegando por lo general la insuficiencia del término para revelar la totalidad de sus propuestas. Y, por otro lado, discute al mismo tiempo la excesiva ambición de este último, sus intenciones totalizadoras, es decir, el hecho de que pretenda abarcar un espectro tan amplio de filmes y tendencias.

Se trata de dos objeciones aparentemente distintas pero en el fondo complementarias, perfectamente sintetizadas en el prólogo de Carlos Clarens al libro que escribió sobre el tema: «En Francia, la mayoría de las películas que se comentarán en este libro se incluyen bajo la denominación (a menudo muy vaga para los anglosajones) de *le fantastique.* Junto a las películas de terror, *le fantastique* incluye títulos como *Alicia en el país de las maravillas* o *El mago de Oz,* mientras que excluye *thrillers* mucho más realistas, sin implicaciones sobrenaturales. Soy consciente de las limitaciones del término *horror films* como denominación –posee inevitables connotaciones de repulsión y

1. Véase, por poner un único ejemplo, la postura abiertamente combativa de Philippe Ross: «...los anglosajones toman la palabra "horror" en un sentido muy amplio, puesto que califican de *horror movies* filmes tan diferentes como *Freaks, King Kong* o *Psicosis,* cuando más bien deberían clasificarse en el género fantástico (los dos primeros) y, en el caso del tercero, en el de angustia y suspense» (ROSS, 1985, pág. 8).

asco–, pero es el único sancionado por el uso y el más adecuado en inglés» (CLARENS, 1967, pág. xiv).

Del mismo modo, otro de los especialistas anglosajones en el tema, John Russell Taylor, otorga al cine de terror –también en un prólogo, esta vez a un libro de Charles Derry– su propio estatuto de género a partir precisamente de su oposición al *fantastique,* de su inscripción en un terreno básicamente distinto, aunque coincida en algunos puntos con él: «El crítico estructuralista Tzvetan Todorov [...] define dos categorías: lo extraño (que parece ser sobrenatural, pero finalmente se demuestra susceptible de explicación según las leyes naturales) y lo maravilloso (que está gobernado por leyes desconocidas para nosotros y requiere ciertas modificaciones de nuestras ideas acerca del mundo circundante); lo fantástico, dice, es la duración de nuestra incertidumbre entre estas dos posibilidades. [...] El área que aborda [Derry], el *horror film,* está relacionada ambiguamente con la fantasía. De acuerdo con la formulación de Todorov, puede incluir lo extraño, lo maravilloso y lo fantástico, pero puede también que no incluya nada de esto» (DERRY, 1977, pág. 9).

De este modo, falto de un marco genérico convincente, reducido abruptamente a su enfrentamiento con la Realidad, *el fantastique* no tiene otro remedio que autoproclamarse como categoría, un macrogénero no en el sentido de conjunto de géneros, sino en el de algo que va más allá de los géneros, situándose en sus márgenes e influyendo en ellos desde el exterior. Y por si fuera poco, aplicado todo esto al cine de terror, su presunta ascendencia se revela finalmente poco menos que periférica.

Veamos. El cine de terror aspira desde un principio, desde sus bases más elementales, a la condición de género, tal como se ha definido ésta al principio de este capítulo: no sólo posee unos sólidos fundamentos míticos, firmemente enraizados en las pulsiones más elementales del inconsciente (véase el capítulo I), sino que además utiliza los mecanismos propios del medio para expresarlos en un nivel social colectivo (véase el capítulo II), con lo cual sólo necesita una ordenación posterior, una regla o conjunto de reglas formales que acaben de perfilar sus directrices (véase el capítulo IV).

Todo esto, sin embargo, no significaría nada si los presupuestos teóricos del género como tal coincidieran ampliamente con los del *fantastique,* es decir, si la característica definitoria del cine de terror fuera su relación con lo que hemos venido llamando Realidad: en ese caso, se trataría de un género incluido en una categoría o macrogénero, un código concreto y definido instalado en los amplios dominios de un supercódigo. Por el contrario, el cine de terror no puede definirse *completamente* por sus relaciones de oposición o confusión con la realidad, puesto que es perfectamente capaz de coincidir con ella, de desarrollar sus ficciones en su interior sin ningún tipo de roce ni enfrentamiento: véanse, como caso sintomático, las películas de psicópatas: absolutamente dependientes de lo real en cuanto a sus planteamientos y su desarrollo, y además, por lo general, absolutamente ajenas a cualquier tipo de intervención fantástica o maravillosa, simbologías demoníacas aparte.

(Esto merece un comentario aparte, puesto que la mayoría de los críticos y estudiosos adeptos al *fantastique* entendido como género suelen situar a las figuras psicopáticas o similares bajo el epígrafe de la «monstruosidad» o de lo «desconocido», con lo cual su condición fantástica quedaría más o menos asegurada. Sin embargo, existiría entonces una contradicción irresoluble entre las definiciones del presunto género –basadas, como se ha visto, en el concepto de realidad– y esa pretendida «monstruosidad de lo desconocido» de los Norman Bates y Mark Lewis que en ningún momento se enfrenta a la definición convencionalmente aceptada de lo «real». Quizá se trate de una visión del *fantastique* en extremo limitada y rigurosa, y quizá contemple lo «real» desde un punto de vista excesivamente miope, pero –dejando aparte las dudosas alusiones sobrenaturales de filmes como *La noche de Halloween* o *Viernes 13* (Friday the 13th, 1980)– lo cierto es que la representación violenta de la locura en el cine tiene más que ver con el terrorífico abismo de lo inconsciente que con la creación de universos dudosos, inclasificables, que es la esencia del *fantastique:* películas como *El malvado Zaroff* (The most dangerous game, 1932), *El fantasma de la Ópera* (en cualquiera de sus versiones), *Los crímenes del museo de cera* (House of Wax, 1953), *El fotógrafo del pánico, Psicosis, Los ojos sin rostro* (Les yeux sans visage, 1959) y muchas otras comentadas más adelante en este libro, no dejan en ningún momento que la confusión entre las dos manifestaciones de lo real que reina en las mentes de sus protagonistas se traslade al exterior, a la superficie misma del relato, que se mantiene siempre en la más estricta obediencia al concepto más común de realidad, en todo caso próxima a otra manifestación de lo real puramente representativa (en el mismo nivel que, por ejemplo, algunos filmes de Fritz Lang con respecto al *western*). De ese modo, lo que definiría a una película como perteneciente a un determinado *género,* que sería la incrustación de las constantes de éste en el terreno iconográfico, entre otras cosas, estaría definitivamente ausente de los *psycho-killers* con respecto al *fantastique,* puesto que esa lucha entre las dos caras de lo real que representa su esencia quedaría reducida al interior de un personaje, sin impregnar para nada la textura visual y figurativa del producto.)

En este sentido, el cine de terror sólo *parcialmente* puede incluirse en el cine fantástico, sólo algunos de sus productos coinciden en sus postulados con el *fantastique* afirmado por Lenne. En otras palabras: la existencia de un gran número de películas de terror que carecen de elementos fantásticos –es decir, que no pueden definirse mediante su relación con el concepto más común de realidad– subraya la necesidad de arrancar al cine de terror de los dominios del *fantastique* y otorgarle un estatuto privado, único, que no se vea obligado a compartir con ningún otro tipo de filmes, tal y como sucede con el melodrama, la comedia o el cine negro.

Como consecuencia, las películas de terror coincidentes, en

alguno de sus puntos, con el *fantastique,* deben adoptar el mismo estatuto que las comedias o los musicales afectados por idéntica influencia: no pasar a ser –hablando en términos de género– películas «fantásticas», como quería Lenne, sino películas de terror con elementos fantásticos, del mismo modo que *Un espíritu burlón* (Blithe Spirit, 1945), de David Lean, es una comedia con elementos fantásticos, y *Damn Yankees* (1958), de George Abbott y Stanley Donen, es un musical con elementos fantásticos. El hecho de que el cine de terror posea un porcentaje mucho mayor de títulos con estas características no quiere decir nada, siempre que nuestro discurso se mantenga en los límites del género: sería como aludir a los numerosos combates y batallas que pueden poblar una película bélica para incluirla en un hipotético «cine violento». Es la diferencia existente entre admitir el cine fantástico como género o admitirlo como simple categoría.

IV
EL CINE DE TERROR COMO GÉNERO

¿Qué es lo que distingue, en definitiva, a un filme de terror? ¿Cuál es la característica unificadora que consigue que el *horror film,* más allá de su oposición al *fantastique,* pueda abordarse como un conjunto sistemático de elementos interdependientes, exactamente igual que los demás géneros? En principio, si el género resulta incapaz de autodefinirse en relación a lo fantástico (véase el capítulo III) –en realidad como todos los demás géneros: ¿sería posible llevar a cabo una operación de este tipo con respecto a la comedia o al melodrama?–, es decir, si el lugar de su distintividad no se encuentra en su pertenencia a otro ámbito mayor, entonces, y en consecuencia, no le queda otro ámbito de acción que la definición de su individualidad, de su propio interior, sus propias reglas intrínsecas.

A partir de ahí, Román Gubern propone tres conjuntos de normas para la definición del género –«los cánones iconográficos, los cánones diegético-rituales y los cánones mítico-estructurales» (GUBERN-PRAT, 1979, pág. 32)– que pueden resultar muy útiles a la hora de establecer teóricamente las «reglas compositivas» que deben venir a rubricar las características míticas y sociales del cine de terror. En este sentido, bastará, para nuestros intereses, con simplificar un poco las cosas y acudir a una terminología a la vez más tradicional y más adecuada a los presupuestos ilustrados hasta aquí: hablaremos así únicamente de puesta en escena y de estructuras arquetípicas, es decir, de aquello que regula la producción diegética del terror y de lo que despliega su iconografía mítica, dos mecanismos que definirán el género en sí mismo y, simultáneamente, en relación a los códigos más cercanos a su territorio.

Porque, en efecto, la identidad del cine de terror como tal posee dos únicos puntos de referencia para su colocación teórica y práctica en el espectro de los géneros: por un lado, su propia condición de entelequia emisora, productora de sentido a través de ciertos mecanismos; por otro, su relación con un receptor, con un destinatario dotado de una configuración inconsciente y a la vez de un saber adquirido –su saber acerca del funcionamiento de la ficción popular– que en definitiva tiene la última palabra en lo que se refiere a la clasificación de los filmes. En cuanto a lo primero, basta, sí, con acudir a conceptos ya establecidos aquí, como «reglas compositivas», «puesta en escena» y «estructura arquetípica». Pero lo segundo necesita algo más: un análisis más detallado de las relaciones del espectador con los mecanismos de sentido que desarrolla el género como tal, es decir, el desencadenamiento de un proceso que traspase el punto de vista meramente subjetivo de los espectadores entendidos como receptores individuales para alcanzar un *status* colectivo.

Para empezar con el primero de estos aspectos, el género del terror concebido como artefacto, con sus normas de funcionamiento y sus instrucciones de uso, podría definirse perfectamente en y por sí mismo, atendiendo a un análisis descriptivo de sus elementos integrantes –reducidos a su puesta en escena y su estructura arquetípica– y de las relaciones que se establecen entre ellos. Pero en ese caso se obviaría un elemento importante: la delimitación, ya mencionada, de su zona fronteriza; en otras palabras: quedaría incompleta la tarea iniciada con su distinción teórica del *fantastique* y se pasaría directamente, sin solución de continuidad, a investigar en su interior sin haber rastreado sus muros de contención. Lo mejor será, pues, realizar un trabajo simultáneo de diferenciación y definición que trace los límites *exactos* y a la vez perfile la configuración más idosincrática del género.

Precisamente es la relación del cine de terror con el concepto de realidad la que favorece la primera delimitación de sus fronteras, ya no con respecto al *fantastique,* sino en relación a los demás géneros. En efecto, existen abundantes indicios prácticos para deducir que el código en cuestión puede presentar numerosos puntos de contacto con otro código más o menos cercano, más o menos coincidente con él en algunos aspectos, que muchos llaman *thriller* y otros «cine negro», y que en ese sentido puede presentar una mayor o menor amplitud según las denominaciones.

Al hilo de este razonamiento, ¿por qué una película como *El estrangulador de Boston* (The Boston strangler, 1968), de Richard Fleischer, por ejemplo, suele considerarse un *thriller* mientras que otra como *El fotógrafo del pánico,* ya mencionada en el capítulo II, tiende a incluirse en el territorio del terror, a pesar de que ambas tomen como materia prima las escalofriantes andanzas de un psicópata, de lo que últimamente se viene llamando un *serial killer*? La respuesta, sin duda, está en el «estilo», en la «puesta en escena»: la acerada frialdad casi documental de Fleischer contra el insondable abismo parapsicoanalítico propuesto por Powell. El primero provoca una incómoda curiosidad sociológica y científica; el segundo una abominable implicación psicológica.

Se trata, pues, de un caso en el que, a idéntica estructura arquetípica, corresponde una puesta en escena distinta en cada filme. En otras palabras: el psicópata es observado con una mirada diferente en ambas películas. De este modo, podría decirse que la distancia entre ciertos *thrillers* y el cine de terror se reflejaría únicamente en el nivel de la puesta en escena, puesto que la estructura arquetípica no variaría: la figura del psicópata no es un arquetipo privativo del cine de terror, es más, diríase que la tradición del cine clásico suele encuadrarlo más bien en el *thriller*, como demuestran a la perfección filmes como *M* (M, 1931), de Fritz Lang, o *La sombra de una duda* (Shadow of a doubt, 1942), de Alfred Hitchcock.

No ocurre lo mismo con la ciencia ficción, el otro modelo genérico que, sobre todo en su nivel mítico, puede correr también el peligro de verse confundido con el cine de terror. En efecto, ¿cómo caracterizar, por ejemplo, una película como *Alien, el octavo pasajero* (Alien, 1979), de Ridley Scott, todo un clásico del cine contemporáneo? Desde cierto punto de vista, se trata inequívocamente de un filme de ciencia ficción, con sus naves espaciales y sus extraterrestres (estructuras arquetípicas) que son claramente privativos de su funcionamiento como género. Observado desde otra perspectiva, sin embargo, parece más bien adscribirse claramente al cine de terror: hay un monstruo asesino, y –lo que es más importante– existe también una parafernalia estética (una puesta en escena) que remite a una cierta tradición «gótica», a un universo desquiciado en el que el habitual caserón se ha convertido en el tétrico interior de una nave, y los fantasmas en horripilantes criaturas multiformes. Según este último razonamiento, pues, *Alien* sería un filme que despierta el miedo en el espectador, y por lo tanto perteneciente sin duda alguna al cine de terror.

¿Qué hacer ante ejemplares como éste? ¿Se trata de una película de ciencia ficción con elementos terroríficos, o simplemente de una película de terror que transcurre en un decorado propio de la ciencia ficción, del mismo modo que *Viernes 13* transcurre en un campamento de vacaciones y no por ello debe considerarse un filme estrictamente juvenil? En un sentido general, no se puede decir que la puesta en escena decida el conflicto, puesto que los elementos arquetípicos son demasiado potentes, demasiado definidores de un género en cuestión –al contrario de lo que ocurría con el *thriller*– como para dar el brazo a torcer. Y, por otro lado, tampoco ellos pueden zanjar la cuestión a su favor, ya que la puesta en escena –ahora sí, como en el caso del *thriller*– niega de algún modo constantemente su estatuto, esparce a su alrededor signos visuales que les impiden constituirse en elementos predominantes.

La lucha, pues, se establece una vez más entre el significado y el significante, entre lo que esas películas dicen, sugieren, y lo que sus formas dejan adivinar: aquel elemento que rompa el equilibrio –entre la puesta en escena y los arquetipos– inclinará la balanza hacia su lado, es decir, hará ingresar al filme en el código genérico al que represente. En otras palabras: si en una película pesa más una puesta en escena propia del cine de terror que una estructura arquetípica procedente de la ciencia ficción, la mejor manera de analizarla será insertándola teóricamente en el llamado «cine de terror». Y viceversa, claro está.

En el caso de *Alien,* según esto, las cosas quedan ya un poco más claras, pues la estructura gótica, la presencia del monstruo, en ningún momento llega a aniquilar a los diversos signos arquetípicos a partir de los que se desarrolla la trama –la nave que sirve de decorado central, el malvado extraterrestre que pretende acabar con la tripulación...–: es sólo un recurso intertextual para maquillar metafóricamente el relato, es decir, para otorgarle toda una serie de alusiones, de sugerencias, capaces de densificar tanto la propuesta diegética como la respuesta del espectador.[1]

Pero también puede ocurrir lo contrario: que una puesta en escena «terrorífica» prevalezca sobre los elementos arquetípicos propios de la ciencia ficción. Es el caso de las dos versiones más famosas del mito de Frankenstein: la de James Whale y la de Terence Fisher. En la primera, concretamente, la aparatosidad expresionista de la escenografía y el maquillaje, la utilización de elementos genéricamente agresivos en relación con el espectador, provocan que el público apenas repare en que, en el fondo, se le está contando la historia de un científico que pretende situarse más allá del bien y del mal, en que se está reconstruyendo ante sus ojos un experimento médico condenado al fracaso, exactamente igual que en muchas películas americanas de ciencia ficción de los años 50.

1. Es exactamente lo mismo que ocurre, por ejemplo, en filmes como *Ha nacido una estrella* (A star is born, 1954) o *El multimillonario* (Let's make love, 1960), ambos de George Cukor, aparentemente a medio camino entre el melodrama o la comedia y el musical, pero en el fondo plenamente inscritos en los primeros: a pesar de la puesta en escena de ciertos momentos, su estructura no es en absoluto la de un musical.

Podrían plantearse, por supuesto, otras dos posibles combinaciones: por un lado, una puesta en escena propia de la ciencia ficción imperando sobre una estructura arquetípica procedente del cine de terror, y, por otro, el caso exactamente inverso. Pero se trata de dos posibilidades mucho menos frecuentes, sobre todo teniendo en cuenta que el género de la ciencia ficción basa sus señas de identidad mucho más en los arquetipos que en la puesta en escena, es decir, posee un nivel de escenificación que depende mucho más de la autoría que de su propia capacidad codificadora.

Dado, pues, que la combinación más habitual es la de una estructura arquetípica de ciencia ficción con una puesta en escena perteneciente al código terrorífico, examinemos ahora uno de sus casos límite, aquel en el que dos filmes comparten un mismo soporte argumental, por lo que, teóricamente, la estructura arquetípica debería tener una menor libertad de movimientos, dejando así a la puesta en escena desarrollar toda su capacidad de acción. Ello demostraría –más o menos como ocurría en el caso del *thriller*– que en ciertas muestras de enfrentamiento entre la ciencia ficción y el cine de terror, la puesta en escena tiene una ventaja inicial para definir el género del filme.

Esto es algo que se puede rebatir fácilmente examinando con un poco de atención las dos versiones de *La mosca* (The fly), realizadas respectivamente en 1958 por Kurt Neumann y en 1986 por David Cronenberg. La primera es un pequeño clásico de la serie B, una peliculita densamente estilizada, elegantemente subversiva y cruel. Y la segunda transita por los caminos habituales frecuentados por su autor: una celebración operística de la putrefacción que incluye un héroe trágico, una mirada a la vez distante y apasionada, y una reflexión sobre las relaciones entre el hombre y la tecnología científica.

Desde un punto de vista genérico, no obstante, las diferencias son aún mayores. La construcción arquetípica, evidentemente, es idéntica: un científico transgresor, un experimento suicida, el fracaso, la condenación eterna. En otras palabras: uno de los mecanismos clásicos de la ciencia ficción cinematográfica norteamericana. Pero la puesta en escena, que incluye inquietantes elementos terroríficos,[2] se pliega y se impone alternativa y sucesivamente en cada una de las versiones: en el caso de Neumann, los interiores afilados, a la vez asépticos y sombríos, así como el tratamiento de la transformación del hombre en monstruo, no son capaces de superar conceptualmente a la fisicidad del laboratorio, a la caracterización *genérica* del protagonista como científico; mientras que Cronenberg, por el contrario, subraya pacientemente, a lo largo de la proyección, la condición monstruosa –a su pesar– del protagonista, tanto mediante el maquillaje como a través de los efectos especiales, otorgando simultáneamente a los decorados una apariencia fríamente pavorosa, lejos ya de su origen científico y en pleno territorio de lo inconcebible: una exploración abismal, casi atávica, de la condición humana, estrategia que volverá a utilizar en su película siguiente, *Inseparables* (Dead Ringers, 1988).

Así pues, en estos dos filmes, el equilibrio no queda bloqueado por la inoperancia de la estructura arquetípica, sino que ésta sigue desplazándose con libertad a lo largo y ancho de los dos filmes: se ensancha en el de Neumann y se autolimita en el de Cronenberg, permitiendo así a la puesta en escena una mayor o menor movilidad. Y ello es lo que demuestra, en fin, que la pertenencia de un filme al cine de terror o a la ciencia ficción *nunca* depende de uno solo de esos elementos –la estructura arquetípica y la puesta en escena–, sino de sus posibilidades combinatorias.

2. Lo ratifica Gérard Lenne, a través de su ilustración de una de las posibilidades de cruce entre el terror y la ciencia ficción: «... uno y otra pueden aparecer inextricablemente unidos en un producto híbrido, como *La mosca*» (LENNE, 1989). La sentencia en cuestión no explica la relación entre ambos géneros en el interior del relato –más bien parece otorgarles salomónicamente idéntico rango–, pero sirve al menos para hacer entrar en escena al cine de terror, algo que otros teóricos ni siquiera se han planteado.

Ahora bien, lo que parece quedar un poco confuso en todo esto es sin duda el verdadero estatuto de esas dos categorías que han servido para establecer todas las diferenciaciones. En efecto, ¿qué rasgos deben caracterizar a una puesta en escena determinada para que deba clasificarse como perteneciente al cine de terror? ¿Y qué elementos tendrá que incluir forzosamente una estructura arquetípica que quiera verse relacionada también con el género en cuestión? Hasta aquí, las respuestas a estas dos cuestiones parecen haberse dado por supuestas, por lo que quizá ya vaya siendo hora de demostrar –como se apuntaba más arriba– de qué modo la delimitación del género y su definición pueden incluirse en un mismo apartado.

En principio, la iconografía que se desprende de la estructura arquetípica del cine de terror parece girar en torno a ciertos conceptos generales que podrían resumirse en la Antigüedad, la religión, la naturaleza y los impulsos inconscientes, respectivamente enfrentados a la modernidad, la ciencia, la civilización y la inteligencia consciente, que constituirían la estructura arquetípica de la ciencia ficción.

En este sentido, los términos apuntados podrían aplicarse a cualquier muestra del género: mientras los monstruos más clásicos –símbolos de los impulsos inconscientes más enraizados–, o los filmes de posesiones, aludirían a un pasado más o menos legendario y remoto absolutamente acientífico y relacionado por ello con modos de vida de alguna manera religiosos o atávicos, los psicópatas o similares deberían inscribirse principalmente en el terreno de los impulsos inconscientes, y por ello reconducir igualmente a las demás palabras clave: el absoluto dominio de la Naturaleza, es decir, de la condición primigenia, precivilizada del hombre, y el retorno a la Antigüedad, a un pasado mítico en el que presuntamente se habrían formado los magmas inconscientes de la agresión y la violencia, amparados siempre en justificaciones de inspiración Religiosa.

Así pues, en un mundo dominado por la tecnología y la ciencia –como es el que refleja el cine desde sus inicios–, todos estos conceptos acabarían refiriéndose a dos categorías básicas, dos estatutos de lo terrorífico cinematográfico que no tendrían tanto que ver con el miedo como con sus efectos: la categoría de *lo transgresor* y la categoría de *lo oculto*.[3] La primera se referiría, para empezar, a la negación absoluta de los presuntos privilegios de la contemporaneidad –avances tecnológicos, descubrimientos científicos: nada sirve frente a los poderes de un mal ancestral y atávico–, y luego, a la negación de cualquier tipo de norma social o estética –los rasgos deformes y el comportamiento atípico del monstruo frente a las reglas de la normalidad, por ejemplo–, mientras que la segunda aludiría frontalmente al hecho del mal subterráneo, latente, que puede salir a la superficie en el momento aparentemente más plácido y tranquilo.

Esta última categoría, sin embargo, no se detendría –ni siquiera se inscribiría– en el ámbito de la estructura arquetípica, sino que pasaría a formar automáticamente parte, gracias a sus características, del dominio de la puesta en escena: en efecto, la puesta en escena del cine de terror se dedicaría entonces fundamentalmente a destacar el carácter *oculto* de lo filmado, la relación de lo que aparece en pantalla con aquello que *no* aparece, o con aquello que sí aparece pero de un modo casi implícito, o incluso con aquello que aparece de un modo explícito pero investido de un aparato escénico que tiende a subrayar sus aspectos más misteriosos o incomprensibles. De esta manera, tanto las luces y las sombras alusivas del clasicismo de los años 30, como la explicitud en la mostración de la sangre y las mutilaciones del *gore* más reciente, constituirán la plasmación estética adecuada –y en sintonía con su época– del objeto referencial que constituye el centro neurálgico del cine de terror: los misterios

3. Evidentemente, también la ciencia ficción tiene que ver a veces con lo transgresor y con lo oculto, sin necesidad de abandonar, en la mayoría de las ocasiones, el escenario de la modernidad, pero se trata de otro tipo de transgresión: no la relacionada con el enfrentamiento entre el Pasado y el Presente, sino aquella que pretende influir en el Presente con vistas a un hipotético Futuro.

que se ocultan tras el concepto de normalidad –que no de realidad, como sucede en el *fantastique*– que ofrecen los mecanismos reproductores del cine.[4]

Queda así claramente explícita, pues, la trascendencia del concepto de lo oculto para definir el cine de terror como género, tanto en el nivel arquetípico como en el escenográfico: no sólo conecta semántica y simbólicamente con la noción lovecraftiana de «lo desconocido», con el concepto freudiano de «inconsciente» (lo oculto que sale a la superficie) e incluso con lo dionisíaco nietzscheano (aquello que se oculta tras la apariencia de lo apolíneo), sino que además sirve tanto para referirse a la totalidad temática del cine de terror (lo oculto del inconsciente criminal, lo oculto de los monstruos siempre escondidos de la sociedad, etc.), como para caracterizar su puesta en escena, siempre tendente a *ocultar* información visual, ya sea a través de la exacerbación engañosa del decorado, la fotografía, el maquillaje, etc., o por medio de la más pura y simple privación de los elementos implicados, como en el fuera de campo, la interposición de personajes, etc.

De este modo, tomando el concepto de *lo desconocido* –en toda su amplitud (véase el capítulo I)– como base mítica y convirtiéndolo en categoría fílmica a través de los propios mecanismos cinematográficos (capítulo II), el cine de terror se erige en género independiente, más allá del conglomerado del *fantastique* (capítulo III), a partir de una utilización autónoma de las estructuras arquetípicas y la puesta en escena, en la que *lo transgresor* y *lo oculto* (este capítulo) desempeñan los roles principales: un esbozo de definición intrínseca que, partiendo de la delimitación, consideraría finalmente al código

4. De ahí que, regresando a la estructura arquetípica, el concepto de transgresión no se refiera tampoco a lo real, sino a lo normal considerado moral y socialmente. De esta manera quedarían ya claramente emparentadas –por su referencia a la normalidad– las dos nociones respectivamente referidas a la estructura arquetípica y a la puesta en escena: lo transgresor y lo oculto.

en cuestión como autosuficiente y le otorgaría un lugar concreto y determinado en el ámbito de los demás géneros.

En cuanto a la relación del género con el espectador –segundo punto de referencia para completar la definición del cine de terror–, el conjunto de «reglas compositivas» que el propio código intenta definir para sí entra extrañamente en una especie de circuito retroactivo: a saber, aquel que le conduce de nuevo hasta sus raíces míticas y acaba devolviéndolo finalmente a la cuestión genérica.

En este sentido, son dos de los mayores expertos en el género quienes ofrecen el marco conceptual adecuado –en forma de polémica– para la investigación de este recorrido. Robin Wood, en uno de los textos más importantes que se hayan escrito jamás sobre el tema (WOOD, 1979), plantea en primer lugar la definición del cine de terror en relación con el espectador desde un punto de vista estrictamente psicoanalítico, es decir, apelando al inconsciente, a los deseos reprimidos del público. Y por otra parte, Andrew Tudor –autor de un libro no menos espléndido sobre los mecanismos del género (TUDOR, 1989)– se dedica a rastrear los nexos que unen a ese mismo espectador con las formas habituales de la ficción popular: el género entendido como un conjunto de artefactos que comparten ciertas convenciones.

Así pues, mientras en opinión de Wood, «se puede decir que el verdadero tema del género de terror es la lucha por el reconocimiento de todo aquello que nuestra civilización *re*prime u *o*prime», y que «su reaparición suele dramatizarse, como en nuestras pesadillas, en forma de objeto, de conflicto terrorífico, significando el "final feliz", en caso de existir, el restablecimiento de la represión» (WOOD, 1979, pág. 201), para Tudor, por el contrario, «un género es un tipo especial de subcultura, un conjunto de convenciones narrativas, decorados, caracterización, motivos, imaginería, iconografía, etc., que existe en la conciencia práctica [del espectador]...» (TUDOR, 1989, págs. 5-6).

Desde este punto de vista, por lo tanto, la lucha se plantea de nuevo –y al igual que ocurría a la hora de fijar las fronteras definitivas del código– entre el fondo y la forma, entre los contenidos inconscientes preconizados por Wood y los mecanismos genéricos que propone Tudor. De este modo, pues, la superación del conflicto deberá pasar una vez más por la síntesis entre ambas tendencias, no una solución de compromiso, sino únicamente un intento de acercar dos tipos de operaciones en el fondo complementarias con el fin de conseguir un mecanismo analítico mucho más denso y rico en métodos y aplicaciones: en el fondo, un equilibrio parecido al que se planteaba para la distinción entre el *thriller*, la ciencia ficción y el cine de terror, sólo que aquí no debe decidir ningún tipo de clasificación, sino únicamente ratificar la pertenencia al género en cuestión.

Se trata de un equilibrio, por otra parte, que tanto Wood como Tudor apuntan ya con timidez en sus respectivos trabajos, aunque sin llegar a utilizarlo abiertamente. En efecto, por un lado, Wood habla de «pesadillas colectivas», y afirma que los géneros populares son una peculiar combinación entre «los sueños personales de quienes los elaboran y los sueños colectivos de la audiencia, una fusión que resulta posible gracias a las estructuras compartidas de una ideología» (WOOD, 1979, pág. 203). Esa mención a la mezcla de intereses y, sobre todo, a la relación entre dos estructuras ideológicas en el fondo idénticas, hace pensar inevitablemente en el soporte formal de esa ideología en el marco de la ficción popular, expresamente mencionada por Wood: en otras palabras, deja bien clara la existencia de una serie de rasgos genéricos que acaban sustentando la relación existente entre los «sueños personales» de los realizadores y los «sueños colectivos» de los espectadores.

La alusión de Tudor, por otro lado, es más explícita, e incluso plantea la conveniencia de dejar «un cierto espacio conceptual para un análisis en términos de motivos inconscientes y de represión [...], como un elemento más entre otros» (TUDOR, 1989, pág. 4), pero en la práctica, es decir, a lo largo del texto, y aunque utiliza a menudo procedimientos –sobre todo semánticos– de inequívoca procedencia psicoanalítica, la estrategia interpretativa, siempre basada en ciertos elementos genéricos establecidos desde un principio, acaba asumiendo su carácter puramente estructural: cualquier alusión que se realice al contenido inconsciente de los filmes en cuestión aparece siempre apoyada en presupuestos analíticos referentes a los mecanismos del código.

¿Cómo reunir, entonces, ambas tendencias? ¿Siguiendo las recomendaciones de Tudor, es decir, integrando el aspecto inconsciente en el análisis «como un elemento más», pero en el fondo supeditado a las estructuras de investigación genérica? ¿O mejor como sugiere Wood, conectando el «sueño colectivo» de los espectadores a una especie de superestructura genérica, que sin embargo siempre dependería de la «ideología común»?

Escójase la tesis de Tudor o la de Wood, el resultado, en el nivel de los mecanismos analíticos, es siempre el mismo: uno de los dos elementos en juego –el inconsciente, las convenciones genéricas– acaba perdiendo lastre, sometiéndose al poder el otro, y, por lo tanto, desde un punto de vista pragmático, cediendo terreno a la hora del análisis concreto. En definitiva, ninguno de los dos autores, pese a las excelencias de sus métodos respectivos y de los textos resultantes, permite obtener una visión integradora del género como tal, tanto en su idiosincrasia como en su evolución, porque para ello sería necesario un nexo de unión en forma de adverbio: la consideración de que el cine de terror afecta al inconsciente del espectador *precisamente* por su condición de género, con sus convenciones y sus reglas que afectan a la humanidad como colectivo, y, viceversa, la comprensión del cine de terror como el género que es *precisamente* a causa de su relación con el inconsciente colectivo, cuyas estructuras arquetípicas sirven de molde para la canalización de los fantasmas reprimidos. De ahí que resulte necesario analizar ambos aspectos para una cabal comprensión del cine de terror, de sus constantes, de su historia y de su evolución: es decir, tanto la evolución del género como la evolución de los temores inconscientes representados en la pantalla, o mejor, la evolución simultánea –por inseparable– de ambos elementos. Lo primero –a diferencia de lo que propone Tudor– deberá llevarse a cabo desde el punto de vista de los periodos formales, y lo segundo –y aquí tomamos nuestra distancia con respecto a Wood–, no tanto desde un punto de vista estrictamente freudiano, como desde una hipotética conjunción Freud-Jung: algo así como los arquetipos de lo reprimido.[5]

5. No se trata, sin embargo, de una descalificación de los admirables trabajos de Wood y Tudor, que me siguen pareciendo los más idóneos para un acercamiento al cine de terror, sino de la simple constatación de su complementariedad, de la necesidad de fusionar sus postulados en un empeño analítico que tenga en cuenta los planteamientos propuestos en los capítulos anteriores.

V
¿UNA HERENCIA EXPRESIONISTA?

Las distintas caracterizaciones de la puesta en escena del cine de terror suelen incluir siempre, casi sin excepción, una mención al expresionismo entendido como estilo decorativo y fotográfico: las luces y las sombras, la estilización escenográfica, incluso cierta exageración en el maquillaje, son elementos que constituyen ya, para muchos aficionados, las señas de identidad del género, pero que a la vez han provocado un grado de simplificación analítica que puede llegar a poner en peligro tanto el estudio de las propias obras comúnmente denominadas «expresionistas» como su influencia en la evolución posterior del código.

Desde este punto de vista, una definición un poco más rigurosa del expresionismo debería, en primer lugar, mirar hacia atrás, más allá del nacimiento del cine, y rastrear las huellas más arcaicas de un movimiento artístico que en el fondo es el resumen de muchos otros. En efecto, el expresionismo cinematográfico no surge únicamente como respuesta, como complemento al movimiento literario y plástico que invadió Alemania tras el final de la primera guerra mundial. Al igual que en el caso de éste, sus fuentes son un poco más arcaicas, tienen su origen, no ya en la desolación que sigue al término de la debacle, sino en una insatisfacción espiritual que viene de más lejos, concretamente de la explosión romántica del siglo XIX.

En este sentido, y desde la perspectiva del cine de terror, hay que decir que el desquiciamiento, las estructuras retorcidas y las atormentadas visiones que todo el mundo asocia con el expresionismo, proceden, sí, del «desamparo mental» y la «obstinación psicológica» (KRACAUER, 1985, pág. 18) del pueblo alemán tras el derrumbe de su imperio, pero también, y quizá con más impulso, de lo que Caspar David Friedrich llamaba «el ojo del espíritu»: «Cierra tu ojo físico, con el fin de ver ante todo tu cuadro con el ojo del espíritu. Luego, conduce a la luz del día lo que has visto en tu noche, con el fin de que su acción se ejerza a su vez sobre otros seres, del exterior hacia el interior» (MARÍ, 1979, pág. 312).

Las tendencias románticas, pues, apuntan hacia una apoteosis de la subjetividad que el expresionismo retomará corregida y aumentada: no tanto la mostración indiscriminada de los fantasmas de la mente, como su remodelación hasta convertirlos en un estilo unívoco, una visión del mundo excluyente. En palabras de Lotte H. Eisner, «un subjetivismo llevado al máximo», la «afirmación de un yo totalitario y absoluto que crea el mundo» y que «está próximo a un dogma que comporta la abstracción completa del individuo» (EISNER, 1988, pág. 18).

Absolutismo, dogma, abstracción: he aquí las tres palabras básicas, la paradoja del romanticismo de la que deriva el extremismo expresionista. Desde un punto de vista estético, esa tríada supone el reflejo formal de un mundo que se recrea a sí mismo: son las máscaras, la iconografía desolada que puebla esos filmes y que pretende transmitir un universo único, absoluto, abstracto, que se transmite de filme a filme a modo de paisaje eterno –de perfiles distintos pero de sentido idéntico– que se repetirá hasta nuestros días. Desde el otro punto de vista, el discursivo, ese mismo absolutismo abstracto se presenta de dos modos complementarios: la figura demoníaca que domina la mayor parte de las películas del periodo, y la concepción fílmica de esa misma figura, que es también totalmente «absolutista», monocolor, uniforme, la representación abstracta y metafísica del Mal, herencia a su vez de la filosofía idealista y romántica del siglo XIX.

Ambas perspectivas son, pues, muy distintas, porque mientras los elementos iconográficos acaban germinando –de muy diferentes formas– en el cine posterior, el discurso convierte al expresionismo en un fenómeno aislado, alejado de la evolución posterior del género y de sus pautas estructurales.

En cuanto a la iconografía, la concepción de los paisajes y los decorados, tanto en el sentido fotográfico como en el escenográfico, procede indudablemente, en buena parte, de ciertos estilemas de la pintura romántica alemana del siglo XIX, pero a la vez se convierte en punto de referencia ineludible para todo el cine de terror posterior, desde los filmes de la Universal de los años 30 hasta ciertas rarezas de Hitchcock o Powell: la utilización de las sombras como sugeridoras de inquietud –ya sea simplemente psicológica o más profundamente moral–, o incluso la deformación o sublimación del decorado –que adquirirá distintos grados durante la evolución del género–, son elementos plásticos que se erigen a partir de entonces en los definidores visuales del género, manteniéndose relativamente con vida aún hoy en día.

Pero eso no es suficiente, porque permanecer en esta zona eminentemente figurativa supondría caer en el simplismo descriptivo de la identificación más fácil (véase el inicio de este capítulo). De ahí que sea el segundo aspecto mencionado, es decir, aquel que se refiere al discurso, el que deba definir en su exacta medida la contribución del cine de terror expresionista a la evolución posterior del género. Y en este sentido, basta un análisis más o menos minucioso de ciertos temas y personajes, de ciertas estructuras arquetípicas (véase el capítulo IV), para descubrir que el expresionismo alemán es simplemente una rareza aislada compuesta a su vez, por lo menos en lo que se refiere a sus obras maestras, de distintas rarezas aisladas: más simplemente, un periodo estético sin continuidad alguna en el género, excepción hecha de ciertos elementos de la puesta en escena.

Para empezar, podría decirse que el aspecto simbólico más importante del cine de terror expresionista que se desarrolla en Alemania –por fijar algunas fechas– desde principios de la década de los diez hasta mediados de la de los treinta, es, desde distintos puntos de vista, la representación del mal encarnado en diferentes figuras alegóricas, prepotentes, tenebrosas, que tradicionalmente se han venido asociando con la ideología nazi, pero que en el fondo aparecen íntimamente relacionadas con un sentimiento trágico de la vida típicamente germánico: aquel que concibe los peores instintos de la humanidad encarnados en una entidad filosófica de carácter demoníaco, tan aberrante como todopoderosa, que recorre obsesivamente la obra de los más grandes artistas del país, de Goethe a Fritz Lang, de Friedrich a Werner Herzog.

Se trata de una noción que adopta diferentes formas a lo largo del periodo, desde la del perro de los Baskerville[1] a la del *Vampyr* (1930) de Dreyer –que no es un filme expresionista pero sí una suma, entre otras cosas, del expresionismo cinematográfico, tal como se verá más adelante–, y que además acaba dibujando un itinerario tan lleno de sugerencias psicológicas como de alusiones sociales, tan preocupado por lo individual como por lo colectivo. La segunda versión de *El Golem* (Der Golem: Wie Er in die Welt Kam, 1920), por ejemplo, realizada por Paul Wegener, no sólo instaura la figura del sabio capaz de crear vida, sino que además identifica al «monstruo» con la representación de ciertos instintos humanos desbocados, es decir, con tendencias psicológicas –la sexualidad pervertida, por ejemplo– que están en la base de ciertos movimientos de masas que en aquellos días empezaban a asolar la nación.

Esta combinación, sin embargo, aun siendo frecuente, no siempre se presenta al espectador en un equilibrio tan primoroso como el ostentado por el filme de Wegener. Sin ir más lejos, las dos obras maestras absolutas del terror expresionista –*El gabinete del doctor Caligari* (Das Cabinet des Dr. Caligari, 1919), de Robert Wiene, y *Nosferatu, el vampiro* (Nosferatu,

1. Nada menos que cinco versiones se suceden implacablemente desde 1914 a 1929, dos de ellas dirigidas por Richard Oswald, autor igualmente de adaptaciones de Wilde, Poe y Hoffman.

eine Symphonie des Grauens, 1921), de F.W. Murnau– presentan marcas autorales que acaban reclamando para sí el predominio más o menos relativo de una u otra tendencia.

En lo que se refiere al filme de Wiene, convertido con los años en el estandarte más representativo del movimiento, no hay que hablar tanto de sus ya comentadísimos decorados arquitectónicos, como del sentido final de la fábula, objeto igualmente de interpretaciones tan numerosas como distintas entre sí. Los decorados, es cierto, crean un clima de horror alucinado que parece la representación material de la atormentada mente de los protagonistas, pero en realidad no llegan a anular en ningún momento la ambigüedad moral del filme entendido como parábola «política».

El final, por ejemplo, que revela el carácter onírico y fantasioso de toda la historia precedente, parece en un principio falsear el sentido del filme –como afirman la mayoría de los críticos e historiadores (KRACAUER, 1985, págs. 67-68, por ejemplo)–, pero su significación es mucho más ambiciosa, incluye una densidad semántica sólo comparable a algunos ejercicios similares planteados posteriormente por gente como Fritz Lang –*La mujer del cuadro* (The woman in the window, 1944), por supuesto– o, en menor y distinta medida, Brian de Palma. Así, el giro que clausura el relato –toda la historia no es más que la fantasía de un loco: la maldad del doctor Caligari es sólo una alucinación paranoica– acaba otorgándole un interés suplementario, pues la película se erige entonces en una especie de atormentado sueño premonitorio y, a la vez, en lo que se podría llamar la «enunciación de la locura», paradójicamente veraz y realista.

De este modo, la historia de Franzis es, en efecto, una representación deformada de la realidad, pero realidad al fin y al cabo: el malvado doctor Caligari que él imagina en su relato posee una correspondencia en el mundo real, es en el fondo el director del manicomio en el que se encuentra recluido, con lo que sus elucubraciones no carecen del todo de base real. Y, por si fuera poco, la inquietante mirada final del doctor en cuestión no sólo pone en entredicho el «revisionismo» del epílogo, sino que invita a contemplar de nuevo la totalidad del filme desde otro punto de vista. Si no se trata del verdadero Caligari da exactamente igual: su papel es el del represor, el representante institucional que prohibe sueños premonitorios como el de Franzis, por lo que su función arquetípica coincide absolutamente con la del tétrico protagonista del fragmento central, que a su vez resulta ser una figuración simbólica del nazismo que viene.

De este modo, la fábula política alcanza todo su esplendor: la figura abominablemente totalitaria que amenaza a los personajes y al país entero –herencia, a su vez, de una presencia demoníaca que acecha en la cultura germánica por lo menos desde el siglo anterior– no es únicamente el lúgubre hipnotizador, el diabólico mago capaz de dominar las mentes y los actos de los demás, sino también –y sobre todo– el hombre aparentemente normal, el profesional de la medicina que regenta una institución en la que se intenta uniformizar las conciencias y los sueños, de modo que a nadie pueda llegar a ocurrírsele pensar o fantasear acerca de lo que se avecina.

Pero es Murnau quien proporciona la interpretación más completa de la simbología demoníaca del expresionismo, más allá de la metáfora política, y precisamente con un filme, con un personaje, que serán objeto de distintas remodelaciones fílmicas a lo largo de la historia del género, aunque sin llegar nunca más a alcanzar la densidad metafísica de esta versión muda. En efecto, a diferencia, por ejemplo, de las películas sobre Drácula producidas por la Hammer en los años 60, *Nosferatu* evita cuidadosamente desde el principio poner el acento en la sexualidad del vampiro creado por Bram Stoker, y en este sentido, aunque atractiva, la interpretación de Robin Wood (Nosferatu representa la sexualidad reprimida de su entorno)[2] resulta un tanto

2. Robin Wood, «Nosferatu», en Christopher Lyon (comp.), *The International Dictionary of Films and Filmmakers. Films,* Londres, Papermac, 1987, págs. 326-327.

exagerada: Nosferatu no es únicamente un reflejo del inconsciente colectivo en el nivel social, sino la mismísima encarnación del Mal, un Mal absoluto, metafísico, que sólo puede ser vencido por un Amor también absoluto, más allá de cualquier barrera, que es el que une a Hutter y a Ellen.

Se trata de una oposición muy habitual en las películas de Murnau –de *Der Januskopf* (1920), una adaptación inconfesada de la historia del doctor Jekyll y mister Hyde, a *Tabú* (Tabu, 1931), pasando por la bellísima *Amanecer* (Sunrise, 1927)– que aquí alcanza su representación más sombría y depurada. La contraposición entre Nosferatu y Ellen, por ejemplo, es decir, entre el Mal y el Bien, viene sintetizada en detalles de alcance casi cósmico: mientras el vampiro es asociado con la epidemia, con la peste que amenaza a la ciudad, la hermosa Ellen ostenta ciertos poderes especiales que incluso le permiten «comunicarse» con su marido a distancia y permanecer espiritualmente unida a él. De este modo, la influencia de ambos va desplazándose lentamente de lo social a lo metafísico, de un simple conflicto sexual de raíz freudiana a la lucha entre una voluntad apocalíptica y un extraño poder benéfico.

En este sentido, la oposición entre el Bien y el Mal no es en absoluto moralista o maniquea. Muy al contrario, en *Nosferatu* –como en sus demás películas– Murnau suele asociar la bondad con el amor, con la juventud, con la pureza, no en un sentido abstracto sino plenamente vitalista, mientras que la maldad irredimible toma los rasgos de la podredumbre y la fealdad, de modo que su visión del expresionismo, de las luces y las sombras, sobrepasa la simple sugerencia estética para asumir una resonancia simbólica de alcance universal: una visión moral del mundo basada en la dialéctica y el enfrentamiento.

Por todo ello, la caída final de Ellen en brazos del vampiro no debe interpretarse como la simple satisfacción de un deseo sexual reprimido, sino como un actor de amor y sacrificio, una victoria de la belleza sobre la monstruosidad: una entrega que provocará la desaparición física de Nosferatu y el triunfo final de la Luz sobre las Tinieblas, de ese amanecer que se filtra por la ventana de la habitación sobre la figura oscura y enjuta del vampiro. En otras palabras: un enfrentamiento arquetípico solucionado en términos estéticos, una de las obsesiones mayores de todo el cine de Murnau.

A diferencia de la mayor parte de películas de vampiros realizadas con posterioridad, *Nosferatu* no presenta ambigüedad alguna en el personaje del monstruo, sino que la adición del componente terrorífico a las constantes más habituales de los filmes de Murnau, acaba provocando la aparición de una figura retórica bastante inusual en el *horror film:* la depravación en estado puro, sin ningún tipo de atenuantes psicológicos o sociales. No hay la más mínima comprensión para lo que representa el vampiro, ni tampoco justificaciones de origen romántico que acaben mitificando su condición, lo que convierte paradójicamente al filme de Murnau en uno de los más atrevidos, diáfanos y valientes de toda la historia del cine de terror.

Así pues, ya sea en el sentido político o metafísico, el cine de terror expresionista presenta figuras metafóricas asociadas férreamente a una cultura y una época –no sólo el periodo de entreguerras, sino toda la cultura germánica contemporánea– de características irrepetibles, representaciones del Mal que no pueden compararse en modo alguno con las que presentará posteriormente el cine anglosajón, eje alrededor del cual girará el *horror film* a partir de los años 30: mientras Murnau o Wiene recurren a la tradición filosófica para establecer un discurso plenamente simbólico, para crear unas figuras –Caligari, Nosferatu– que se sitúan claramente en el exterior del cuerpo social y psicológico con el fin de destruir el concepto de civilización imperante, el cine americano –por poner el ejemplo más representativo– ostentará una estrategia digamos que más sutil, consistente en dotar de una cierta ambigüedad al «monstruo» para convertirlo, no sólo en la representación simbólica de un inconsciente colectivo, sino además y sobre todo en su materialización más inquietantemente humana, en alguien que se integra en el entorno del hombre para socavarlo lentamente y poder llegar así a destruir su esencia.

La frontera entre estas dos tendencias, entre estas dos visiones casi antagónicas del cine de terror, puede localizarse en un autor asimismo fronterizo, un francotirador cinematográfico que realizó una de las mejores películas de la historia del género, a la vez la apoteosis y el acta de defunción del terror expresionista. *Vampyr*, de Carl Theodor Dreyer, es una experiencia en este sentido única: una producción alemana planteada como un filme experimental de terror –al igual que la mayor parte del cine expresionista–, dirigida por un danés, y filmada en paisajes franceses por técnicos también teutones, gracias a la financiación de un joven noble holandés. En otras palabras: la vieja Europa en pleno identificándose con el país que no sólo había sentado las bases del lenguaje cinematográfico más poderoso de la época, sino que también iba a decidir tristemente su futuro histórico más próximo.

A partir de ahí, el filme se basa en un esquema que sin duda hubiera fascinado a Murnau: contar la historia –¿contar la *historia?*– de un personaje enfrentado a las fuerzas del mal, a través de un combate metafórico entre la luz y la oscuridad, todo ello en medio de la sutil escenografía creada por Hermann Warm –antiguo colaborador de Murnau– y con iluminación del celebrado Rudolph Maté. Pero las apariencias pronto se revelan vanas, pues los diseños de Warm quedan reducidos al mínimo a causa de la utilización de decorados naturales, y la fotografía de Maté es sistemáticamente sometida a un proceso de disolución que la convierte en una inmensa gama de matices del gris: las características formales del expresionismo, pues, anuladas a partir de su propia identidad.

De la misma manera, el discurso presenta una evolución conceptual que va desde el enfrentamiento con un personaje que parece la encarnación pura del mal –la vampira Marguerite Chopin, que ejerce sobre su entorno un dominio tan diabólicamente prepotente e inexplicable como el de Nosferatu– hasta la conversión de ese conflicto en una fantasía inconsciente, no al estilo de *Caligari*, sino en un sentido absolutamente moderno: a través de la puesta en escena, de una planificación que subvierte cualquier idea preconcebida que pueda tener el espectador para sumergirlo continuamente en la duda con respecto a lo que ve u oye, ya sea mediante la angustiosa identificación con el protagonista –la famosa escena del entierro– o a través de un tratamiento fragmentado del espacio que ya nada tiene que ver con la vocación arquitectónica del expresionismo clásico.

El filme de Dreyer, pues, señala tajantemente el abismo que separa al terror expresionista del cine posterior, y además lo integra hábilmente en su puesta en escena, convirtiéndose así en testimonio plástico o ideológico de las posibilidades y limitaciones de todo un discurso en plena decadencia. Como consecuencia, si se estudia el género como una totalidad orgánica, el cine de terror expresionista sólo alcanza un cierto protagonismo como ideología en el *horror film* norteamericano de los años 30, e incluso ahí en un sentido muy marginal, puesto que, aunque el concepto de «monstruo» ostenta una representación absolutamente exterior al ser humano tanto en el sentido individual como en el social, es sin embargo ya una creación proyectiva de este último (véase el capítulo VI), no presenta rasgo alguno que pueda asimilarlo a una entidad metafísica, ni tampoco queda caracterizado como una presencia diabólica en sentido estricto, es decir, sin nada que ver con la experiencia cotidiana.

En este sentido, resulta muy útil comparar el significado del inconsciente en el *Caligari* de Wiene, por ejemplo, con el uso que hace de él cualquier película de la Universal dedicada a alguno de los más famosos «monstruos». En el filme alemán, el inconsciente es estrictamente colectivo y, como tal, asume una forma monolítica, inmutable, fijada para siempre en una especie de pasado mítico en el que los arquetipos desempeñan un papel absolutamente estereotipado. Así, aunque se trate de una referencia al nazismo, Caligari va más allá de las circunstancias concretas y alcanza una jerarquía *abstracta,* que ya no depende en absoluto del presente psicológico ni tampoco de las tendencias del periodo: como Nosferatu, Caligari es el resultado de una tradición filosófica aplicada a una época concreta.

Los monstruos de la Universal, en cambio, proceden también de una tradición europea pero acaban anulando su propio pasado en beneficio del entorno físico: su relación con los arquetipos ya no es tan filosófica como histórica, su carácter metafísico queda eliminado en favor de su condición de representación mental. El inconsciente sigue siendo colectivo, pero ya no atiende a mitos establecidos sino a una reunión de conciencias entendidas cada una de ellas en un sentido individual. El mal, en una palabra, ya no es algo ajeno al ser humano, que actúe sobre él de manera irrebatible, sino que –aunque de momento resida en el exterior– resulta ser su propia creación.

VI
LAS VÍAS DEL CLASICISMO (1931-1954)

6.1. Como el lector ya habrá adivinado, los años escogidos para señalizar los límites de este primer periodo de la cronología del cine de terror –una vez establecido el expresionismo alemán como un simple prólogo, como una rareza que muy poco tiene que ver con el resto (véase el capítulo V)– son puramente aleatorios. Concretamente, se refieren al año de producción de dos filmes que se podrían considerar sintomáticos en cuanto a la evolución ideológica y estética del género, dos marcas que supondrían simbólicamente el inicio y el final de un modo de entender el cine de terror caracterizado como tal, pero que no significan nada en lo referente a la hipotética ocurrencia de algún fenómeno definidor.[1]

En este caso, se trata de *Drácula* (Dracula, 1931), de Tod Browning, y *El fantasma de la calle Morgue* (Phantom of the Rue Morgue, 1954), de Roy del Ruth, entendidos simbólicamente como el nacimiento y la defunción definitiva del periodo clásico, aquel que se desarrolla mayoritariamente en el Hollywood de la edad de oro y ostenta un estilo asimilado a su modo de producción.

En esta fase, el aspecto «psicológico» del género, el trasfondo de sus arquetipos, tiene unas características perfectamente definidas: los fantasmas personales y sociales se proyectan hacia afuera, materializándose en distintos tipos de monstruos –generalmente de procedencia europea– cuya aniquilación final resti-

1. Es el método que se seguirá en todos y cada uno de los periodos esbozados aquí: el único modo de aproximarse al género de manera que sean los propios filmes los que marquen las distancias y sugieran el paso de una época a otra.

tuye el orden en el cuerpo social. El enemigo, pues, el mal, reside en el exterior, los protagonistas y su entorno –la sociedad que les rodea– se desembarazan de sus miedos y obsesiones fijándolos en algo ajeno a ellos que pueden estigmatizar, combatir y finalmente eliminar, como si se tratara de una inexplicable y aberrante desviación de la norma fabricada por equivocación en un universo esencialmente *bueno.*

Sin embargo, hay siempre, en estos filmes, detalles que delatan la procedencia inequívocamente humana de ese mal aterrador que se quiere ignorar desterrándolo a las zonas más profundas del inconsciente, aquellas capaces de crear monstruos sin aparente conexión con la civilización: rasgos imperceptiblemente neuróticos de los protagonistas, síntomas de una aguda crisis humana y social, una represión sexual latente que actúa sin cesar por debajo de los actos más cotidianos... A partir de ahí pueden deducirse perfectamente las raíces de lo monstruoso que aparece en esos filmes y rastrear los motivos simbólicos de la debacle social que se producirá en la fase siguiente.

Este periodo de *proyección,* de expulsión del mal hacia el universo exterior, es el que, en términos ya estéticos, corresponde al clasicismo hollywoodiense, cuyas constantes estilísticas acaban definiendo exactamente esa misma dualidad: si, por un lado, el discurso proclama la radical separación entre personajes «normales» y monstruos, entre el individuo y sus fantasmas, por otro, la puesta en escena presenta un desdoblamiento también proyectivo, tajante, el territorio de la norma y el territorio de la desviación.

Así, la totalidad de la escenificación se realiza por parejas de elementos: el blanco y el negro, el plano fijo (quietud) y el *travelling* (inquietud), la raíz expresionista (decorados) y el ímpetu clasicista (narratividad), etc. Siempre hay un espacio de la normalidad enfrentado a la amenaza del movimiento, de lo que escapa a las leyes de lo razonable y se define por oposición –también estética– a ellas. Por ejemplo, las sombras negras enfrentadas a la blanca luz, el *travelling* que rompe la quietud y anuncia la presencia de algo abominable, la aparente tranquilidad narrativa que se ve de repente rota por la aparición de un decorado inquietante, etc. Se trata de dualidades estéticas, cuyos elementos se enfrentan entre sí sin salir de sus respectivas posiciones, es decir, sin entremezclarse en absoluto, como corresponde a una representación proyectiva.

El cine mudo americano es, sin duda, el primero en utilizar esta estrategia, pero no lo hace aún con excesiva convicción. Películas como El *jorobado de Notre-Dame* (The hunchback of Notre-Dame, 1923), de Wallace Worsley, o *El fantasma de la Ópera* (The Phantom of the Opera, 1925), de Rupert Julian, establecen un universo terrorífico más emparentado con el melodrama romántico que con la fascinación del mal: antihéroes lastimeros que beben los vientos por encantadoras jovencitas, escenarios asociados con un concepto europeizante y decimonónico de la cultura (París, la ópera), la monstruosidad entendida como un defecto físico que condena a la marginación, etc. La amenaza queda convertida en amor frustrado y la inquietud en repulsión física disfrazada de solidaridad moral.

Es en los años 30, pues, cuando el cine de terror americano empieza a reflejar sus verdaderas preocupaciones. Por una parte, la recreación de las figuras míticas procedentes de la tradición, principalmente literaria. Por otro, las fantasías más o menos míticas, situadas en lugares exóticos, islas remotas o territorios desconocidos, que albergan un misterio por descifrar, generalmente relacionado también con la monstruosidad física o mental. Así pues, el mal se sitúa siempre en el exterior, ya sea en el monstruo absolutamente ajeno al entorno en el que se entromete, ya sea en espacios prohibidos, alejados de la civilización, en los que tiranos malignos campan a sus anchas sin detenerse a contemplar las catástrofes que provocan. Mientras el monstruo invade el terreno de la civilización, es esta última –encarnada en uno o dos personajes– la que penetra en los territorios de lo desconocido: de cualquier manera, en los dos casos la separación entre ambos términos es concluyente, terminante, sin reconciliación posible.

A propósito de todo esto, la historiografía tradicional viene asociando el esplendor creativo de estos años del cine de terror, con la crisis social y económica que sacudió a los Estados Unidos después del *crack* de 1929, lo que se conoce habitualmente con el nombre de «depresión». En otras palabras, los terrores cotidianos, la inquietud por un futuro no demasiado halagüeño, se plasmarían en una infinidad de monstruos más o menos indefinidos, en el fondo el reflejo de un terror inconsciente bastante concreto.

Hay que tener en cuenta, sin embargo, algunas precisiones. El hecho de que esos monstruos, como se ha visto, ostenten un rango absolutamente exterior, y a la vez procedan casi siempre de un ambiente ajeno a la sociedad norteamericana, que es la que produce la mayoría de los filmes del periodo, resulta ser un dato sintomático respecto a su verdadera significación: en realidad, esta condición suya revela que el terror que invade el inconsciente colectivo es un terror que no tiene nada que ver con ningún tipo de desconfianza con respecto al sistema –y la labor de Roosevelt tiene mucho que ver con todo esto–, sino que, por el contrario, provoca catástrofes que responden a una especie de destino trágico externo sin conexión alguna con la estructura social o mental de la humanidad. Y en este sentido, los rasgos delatores con respecto a los personajes y al contexto mencionados antes, no serían otra cosa que el verdadero rostro de una sociedad empeñada en ocultar sus disfunciones tras una máscara de «normalidad», tras ciertos «monstruos» exteriores –los malos tiempos, la situación en Europa...– que desembocarían en la segunda guerra mundial y en la lucha a muerte contra el fascismo, convertido ya en el monstruo de los monstruos.

Pues bien, hablando de monstruos, el desfile empieza precisamente con el *Drácula* de Tod Browning, que, contrariamente al *Nosferatu* de Murnau, no pone el acento en el lado maléfico del personaje, sino en su encanto: en manos de Bela Lugosi, el conde Drácula se convierte en un seductor, un hipnotizador de hembras más cerca de Don Juan que de cualquier representación demoníaca que pueda imaginarse el espectador. De este modo, el «monstruo» se hace más humano y a la vez acentúa su condición de reflejo maligno del orden social que pretende destruir.

En efecto, la inventiva visual de Browning, después de una primera parte centrada en la atmósfera, se desplaza hacia la puesta en escena en sentido estricto, hacia la cámara. Y es en ese ámbito donde Drácula se muestra simultáneamente como hombre de mundo y como representación del mal. Ya durante la cena de Rendfield en el castillo, Browning hace que el conde irrumpa de repente, por la izquierda, en un encuadre en el que el otro personaje se encuentra cenando. De este modo, se acentúa el aspecto intrusivo del personaje, se le integra en el universo de la normalidad, sí, pero mediante un gesto brusco, mediante su oposición al decorado o a la fluidez de la narración. Posteriormente, en la escena de la ópera, una panorámica une el palco en el que se encuentra la familia de Mina con la entrada del conde: Drácula comparte el espacio fílmico con los representantes de la normalidad, pero lo hace enfrentándose a ellos, convirtiéndose a la vez en un invasor del orden burgués que pretende dejarle en el exterior de sus márgenes, como se demuestra en las escenas que transcurren en casa de Mina, donde se desarrolla buena parte del filme.

La contradicción resultante se concentra en el personaje de John Harker, que –también contrariamente a la versión de Murnau– se convierte en el otro protagonista –muchas veces ausente– del filme. Harker, también elegante y enamorado de Mina, es una especie de otro yo de Drácula, representando éste entonces su inconsciente maligno, aquellas tendencias que no quiere reconocer en su persona. Hay una escena básica en este sentido. Al principio, Harker se niega a creer que Drácula sea un vampiro, en el fondo porque se niega a asumir su lado abominable, pero finalmente Van Helsing le convence de la necesidad de matar a su otro yo para conseguir a la Mina pura que él dice desear, en contraposición a la Mina lúbrica que ha fabricado

Drácula: destruyendo sus tendencias más inconfesables, representadas en Drácula, podrá conseguir a la mujer que las convenciones le obligan a amar.

Pero, más allá del filme de Browning, son las dos películas sobre el mito de Frankenstein realizadas por James Whale en esta misma época las que reflejan mejor las características del periodo, erigiéndose a su vez en sendas obras maestras del género (véase CURTIS, 1989). El primero de esos trabajos. *El doctor Frankenstein* (Frankenstein, 1931), es una de esas películas que –como *El gabinete del doctor Caligari* (véase el capítulo V)– tradicionalmente vienen siendo consideradas como, digámoslo así, la vertiente conservadora del género. De este modo, el filme de Whale, según muchos expertos, no sería otra cosa que una adaptación moralista de la obra de Mary Shelley, una glorificación del orden burgués a costa de la ambición humana y el ansia creativa, constituyendo el doctor Frankenstein la representación genuina del científico sediento de poder que osa compararse con Dios y que, al final, debe reconocer su error volviendo cabizbajo al redil.

Y, en efecto, eso es lo que puede colegirse a tenor del argumento de este primer Frankenstein. Pero la puesta en escena de Whale va por otro lado. Más allá del hecho de que la criatura, como ocurre tradicionalmente, esté contemplada como un ser inocente perseguido por la propia sociedad que lo ha creado, lo verdaderamente importante es que la figura de Henry Frankenstein, el científico (Colin Clive), no se interpreta como la del típico transgresor del orden divino que debe pagar por su atrevimiento, sino como la de un simple practicante de la medicina que, mediante la elaboración de su criatura, no hace otra cosa que dejar en libertad a su otro yo, a sus instintos más primitivos, para fijarlos en su exterior, en la figura de un monstruo abominable, sin aparente conexión con su personalidad más íntima.

Como Browning, pero de una manera aún más eficaz, Whale se dedica a subrayar y dejar bien claro todo esto a través de la planificación, de la ruptura sintáctica con respecto a la tónica visual del filme. Y ello se refleja sobre todo en la utilización del primer plano, que se dedica constantemente a quebrar la fluidez fílmica con el fin de delatar la presencia de lo anormal, en una típica manifestación de la dualidad formal tan frecuente en el periodo. Cuando, tras el éxito del experimento, el doctor entra en la celda del monstruo y contempla lo que ha creado, Whale corta a un primer plano del científico que revela su desesperación, no ante su posible y pretendidamente trágico «error», sino ante su verdadera personalidad que al fin ve reflejada de un modo externo. De la misma manera, cuando el padre de su novia, es decir, su futuro suegro, menciona la posibilidad de que la pareja tenga un hijo, Whale pasa a otro turbador primer plano del doctor que rompe la armonía del conjunto: esa perspectiva le aterroriza porque en realidad él ya ha creado un «hijo» horrible.

Este inteligente juego con la puesta en escena, más allá de la supuesta –y tan comentada– iconografía expresionista del filme, es lo que confiere a *El doctor Frankenstein* toda su inquietante belleza, magnificada hasta el límite cuando se abandona el terreno del primer plano para investigar con las posibilidades del espacio fílmico e incluso del plano-contraplano. Respecto a lo primero, la intrusión en el plano de un cuerpo extraño a la normalidad cotidiana, en este caso la criatura creada por Frankenstein, revela siempre la cara oculta de ese presunto orden establecido: en este sentido, resulta ejemplar el plano en que, durante los preparativos de la boda, el monstruo aparece por detrás de la prometida del doctor, vestida de novia, en lo que sin duda es una hermosa metáfora visual sobre la civilización y el primitivismo, es decir, sobre la propia cara oculta del doctor, a la vez inocente y salvaje, contemplando la virginal blancura de su objeto del deseo. En cuanto a lo segundo, la lucha final en el molino muestra al doctor y al monstruo mirándose cara a cara entre los barrotes –un perfecto símbolo de su desdoblamiento psicológico– mientras en el exterior los pueblerinos contemplan excitados la escena, nuevo desdoblamiento que alude al inconsciente del doctor, acosado exteriormente por la sociedad e interiormente por sus propios fantasmas: una encarnizada lucha entre el superyo y el ello que termina, lógicamente, en llamas.

La segunda película de Whale respecto al tema subraya aún más esta tensión entre el deseo de proyección exterior de los fantasmas inconscientes y la manifestación involuntaria por parte del personaje principal –expresada por Whale en la puesta en escena– de sus verdaderas tendencias. *La novia de Frankenstein* (The bride of Frankenstein, 1935) es, por lo general, una película más apreciada por la crítica que su antecesora, y no faltan razones para ello: el delirio apenas contenido de la narración, la originalidad de tema y enfoque, y, sobre todo, la capacidad imaginativa de un Whale absolutamente pletórico de facultades tras la cámara, hacen que el filme acabe obteniendo una brillantez aparente mucho más vistosa que la de *El doctor Frankenstein,* que a su vez se traduce en un explosivo cúmulo de sugerencias en el plano del significado.

Así, Whale parece continuar sutilmente el discurso del filme anterior con un paralelismo mucho más acusado entre el hombre y el monstruo, paralelismo que, sin embargo, no tiene una traducción visual tan certera como la de *El doctor Frankenstein.* Ahora, Henry Frankenstein (de nuevo Colin Clive) parece decidido a llevar una vida «normal» y a casarse, pero en una escena íntima con su futura esposa es interrumpido por la llegada del doctor Pretorias, que pretende que Frankenstein le ayude en sus experimentos. Se trata, pues, del inconsciente primitivo y mágico intentando dinamitar unos deseos conscientes en el fondo falsos: Pretorius aparece precisamente en el momento en que Frankenstein parece querer romper con su pasado, simplemente para recordarle que su otro yo aún no ha muerto del todo. Y como consecuencia, Frankenstein necesitará crearlo de nuevo para exteriorizarlo y destruirlo por segunda vez.

Por su parte, el propio monstruo emprende absurdamente una voraz carrera de crímenes, cuando lo único que pretende es ser aceptado por la sociedad (véanse las escenas con la pastora y con el ermitaño ciego). De esta manera, tanto Frankenstein como su criatura se ven impedidos de acceder a la normalidad, de modo que acaban intentándolo los dos juntos, puesto que ambos son una sola cosa: cuando el monstruo consiga a su novia, el doctor podrá volver con su prometida. El hecho de que, al final, la autoaniquilación de lo inconsciente permita la huida del doctor con su novia no es un contrasentido: simplemente revela que la novia de Frankenstein del título no sólo es la «novia» del monstruo sino también la del científico, pues la película es tanto el relato de su lucha por desembarazarse del horror del ello –Frankenstein se niega constantemente a los requerimientos de Pretorius, hasta que al final se ve obligado a aceptar– como la metáfora de la pugna de éste –el monstruo– por acceder a la superficie consciente y «civilizarse» –el itinerario de la criatura consiste en la consecución de varios de los signos de la masculinidad civilizada: comida, bebida, tabaco, mujer–, lo cual se revela absolutamente imposible, pues la mente consciente no puede aceptar jamás los monstruos que produce su razón.

El discurso de *La novia de Frankenstein,* pues, refleja a la perfección las tensiones del periodo: por un lado, el deseo de externalizar los fantasmas inconscientes con el fin de eliminarlos; por otro, la imposibilidad de reprimir los signos anunciadores de todos estos fantasmas, que pretenden materializarse como tales, instalarse en la cotidianeidad y convivir con lo consciente. Así, haciéndose más explícito, el discurso de Whale pierde en capacidad de sugerencia escenificadora lo que gana en complejidad narrativa y conceptual –véase, por ejemplo, la peculiar estructura narrativa del filme–, pero de todas formas conserva –e incluso aumenta– toda la brillantez plástica y onírica de la primera parte: dos obras maestras del terror clásico en el límite de sus posibilidades.

El tema del doble, del yo maligno y devastador capaz de aniquilar a la vertiente «civilizada» del ser humano, se revela sin embargo en toda su potencia en un filme dirigido por un hombre no demasiado aficionado al género, aunque sí adepto a la ebullición formal de la época. *El hombre y el monstruo* (Dr. Jekyll and Mr. Hyde, 1932), de Rouben Mamoulian, es sin duda la mejor versión de la novela de Stevenson que haya podido contemplar quien firma estas líneas. La imaginación visual de Mamoulian es portentosa, jamás gratuita, y las implicaciones del mito están llevadas hasta sus últimas consecuencias, con un atrevimiento sin límites, pero el peso de su función recae sobre el propio personaje del doctor Jekyll (espléndido Fredrich March), contemplado a la vez como un transgresor social y como un reprimido sexual, lo cual aumenta notablemente su atractivo a los ojos del espectador.

En cuanto a este último punto, Jekyll personifica al científico empeñado en ir mucho más allá de la norma, pero a la vez es un hombre obsesionado por el sexo. El momento culminante del filme, su conversión en Hyde, se produce tras dos acontecimientos muy significativos: a) se ven frustradas sus expectativas de un rápido matrimonio (de una liberación más o menos próxima de sus instintos sexuales); y b) conoce a la voluptuosa Ivy (una turbadora Miriam Hopkins) en un ambiente de turbia sensualidad. De este modo, el monstruoso Hyde no es sólo el otro yo de Jekyll: es su yo más sensual, animal, salvaje. Su proyección consigue extraer de sí mismo sus aspectos más ocultos y materializarlos en una figura repugnante, *otro* ser, su doble, un regreso al más radical primitivismo con todo lo que conlleva: liberación pero también violencia desatada. Como en los *Frankenstein* de Whale, la liberación del inconsciente produce –literalmente– monstruos.

En perfecto paralelismo, la película está llena de alusiones visuales a ese dualismo bestialista: la pantalla dividida, los movimientos de March-Hyde o el inolvidable momento en que la sugestiva pierna de Miriam Hopkins se balancea en sobreimpresión por encima del rostro de Jekyll, una perfecta parábola sobre los deseos absolutamente inconscientes del doctor. No obstante, hay un detalle que, más allá de todo esto, resume definitivamente el sentido del filme: el uso de la cámara subjetiva en la escena inicial y en el momento de la transformación, que acaba delatando que Jekyll es también un doble del propio espectador, pero sobre todo que este mismo espectador –todos nosotros– es esa bestia que, en busca de su liberación, asola y asesina indiscriminadamente. En otras palabras, y aunque fijada en una figura externa, la naturaleza humana al descubierto.

Si el monstruo de Frankenstein y Drácula aparecen localizados en una Centroeuropa casi de opereta, y Hyde en el Londres brumoso creado por la imaginería popular, el origen de los otros dos monstruos del periodo es también muy lejano con respecto a la vida norteamericana: el Tibet y de nuevo Londres en el caso del hombre-lobo y Egipto en el de la momia. *El lobo humano* (The werewolf of London, 1935), de Stuart Walker, presenta un personaje principal que apenas tiene el aura romántica que después le conferirían otros filmes, aunque al final dé las gracias amablemente al policía que acaba matándolo: de ahí que la película parezca hija espiritual de *El hombre y el monstruo,* tanto en su distanciamiento como en su capacidad de análisis, aunque evidentemente carezca de su perfección y de su esplendor plástico.

El filme presenta a un tal doctor Glendon (Henry Hull, un actor perfectamente hierático para el papel) como a un botánico que sólo piensa en sus plantas y en su completísimo jardín. En este sentido, y en comparación con el ansia de libertad de Jekyll, su mundo es cerrado y opresivo, una representación primorosamente perfecta de su estrechez mental, que le ha llevado a convertir a su mujer en una amargada –la ha ido descuidando progresivamente en beneficio de su trabajo: ella es también una flor de invernadero, bonita metáfora– y ahora se ve condenado a contemplar impotente cómo frecuenta cada vez más la compañía de un amor de juventud, Paul Ames, el sobrino del prefecto de Scotland Yard.

El filme extrae así a la superficie sus raíces, la neurosis y la frustración sexual, que surgen en forma de monstruo cuando

Glendon acaba materializando involuntariamente sus deseos más oscuros, la representación animal de sus inhibiciones, transformándose en hombre-lobo (la excusa: una extraña planta tibetana). A partir de ahí, Glendon lleva a cabo todos sus actos en función de los celos reprimidos y del odio latente hacia su mujer y, por extensión, hacia la hembra. En su primera transformación, por ejemplo, se intercala sibilinamente un plano de su mujer con Ames, lo cual indica que su más ferviente deseo es acabar con la pareja. Del mismo modo, sus dos primeras transformaciones se saldan con el asesinato de dos mujeres de dudosa reputación, la segunda, concretamente, relacionada de una manera muy estrecha con su mujer, es decir, con el tema de la traición amorosa (le dice a su amante que debe abandonar a su esposa si quiere seguir viéndola: ¿una representación femineizada de Paul Ames?). Y así sucesivamente.

Esta correspondencia perfecta entre el descenso a los infiernos del yo y la transformación monstruosa tiene, pues, como en el filme de Mamoulian, una raíz netamente sexual. En este sentido, las dos películas son la impúdica representación de uno de los traumas mayores del periodo: la conversión del sexo en algo monstruoso, repugnante,[2], el vertedero de una sociedad que intenta denodadamente salir adelante, en medio de la depresión, a través de la honestidad y la limpieza. Y paralelamente a esta visión, la de los instintos violentos, la furia acumulada por la pobreza y las privaciones, desatada a través de otro tipo de monstruos, y encarnada sobre todo en el de Frankenstein.

Continuando con un discurso un poco más abstracto, *La momia* (The mummy, 1932), de Karl Freund, es una película a primera vista engañosa, puesto que su verdadero protagonista no es la mohosa criatura del título (el siempre espléndido Boris Karloff, ex monstruo de Frankenstein) sino la muchacha (Zita Johann), la descendiente de la princesa egipcia que el alto sacer-

2. No se olvide que el código Hays empieza a funcionar también en la década de los 30.

dote Inhotep (Karloff, por supuesto, en previsible doblete) pretende hacer suya para toda la eternidad convirtiéndola también en un montón de vendas.

En efecto, la chica se encuentra atrapada entre el amor convencional y un tanto insípido que le ofrece un joven arqueólogo, y la fascinación -literalmente hipnótica- que le produce Inhotep. Es decir, entre la realidad contemporánea y la atracción de lo primitivo y lo desconocido, que como siempre se muestra y desarrolla en un nivel inconsciente: de ahí que Karloff provoque todas sus visiones en el agua, símbolo freudiano por excelencia.

Se ha hablado mucho de la magnificencia plástica del filme, e incluso de la inigualable sutileza de sus mecanismos terroríficos -el despertar de la momia, por ejemplo-, pero se ha olvidado muchas veces la capacidad de Freund -fotógrafo de Murnau y del *Drácula* de Browning- para sugerir visual y dramáticamente el aspecto más cotidiano del conflicto anímico de la época, en un grado sólo comparable al *King Kong* de Schoedsack y Cooper: la sensación constante de que, bajo la máscara de una sociedad que aún cree en el futuro, se esconde el primitivismo, lo salvaje, lo maligno y lo misterioso. Esta lucha entre la conciencia racional y la fascinación de lo incomprensible se muestra a la perfección en una de las más bellas escenas del periodo: la chica sentada en la terraza de un gran salón burgués mirando hacia la inmensidad del desierto y las pirámides, mientras Inhotep intenta atraerla con sus conjuros.

En este sentido, *La momia* es un filme bastante atípico en el contexto de los años 30, pues va más allá que *Drácula* y opera un sutil desplazamiento que lo aleja de la figura del monstruo para fijarlo en un personaje más o menos normal, un testigo de los acontecimientos que se ve implicado en ellos y que acaba reflejando en su propio conflicto la dualidad antes reflejada por las criaturas extrañas, de Frankenstein al hombre-lobo pasando por Hyde.

Ése es el testigo que recoge Ernest B. Schoedsack en dos de las más bellas y sucintas películas de la época, dos joyas de artesanía tan inspiradas como sugerentes: *El malvado Zaroff* (codirigida junto con Irving Pichel), por un lado, y la famosísima *King Kong* (realizada con la ayuda de Merian C. Cooper), por otro. La primera de ellas, para empezar, relata la historia de otro personaje atrapado entre algo que le ata al mundo contemporáneo y racionalista, y la posibilidad de convertir ese mismo objeto en una opción mucho más malsana, primitiva, salvaje. Si en *La momia* se trataba del amor y la atracción por el otro sexo, aquí entra en escena la fascinación provocada por la violencia.

El punto de partida es similar, como se verá más tarde, al de otras muchas películas del periodo: el solitario megalómano que ejerce su dominio sobre un lugar fantástico e incivilizado, en el que atrapa a sus víctimas como en una tela de araña. Y su oponente, por su parte, es un hombre aparentemente opuesto pero en el fondo idéntico (y además interpretado por el excelente Joel McCrea): aficionado a la caza, la considera únicamente un deporte y, por tanto, enfrentado al juego que le propone Zaroff –convertirse en la presa de una caza humana–, se escandaliza y lo considera una aberración. En el fondo, pues, estamos ante otro enfrentamiento entre el yo y su lado más siniestro, una vez más exteriorizado y localizado en un lugar exótico: como dice el propio Zaroff, McCrea no es capaz de llegar al fondo de sus propias conclusiones, no sabe que –contra la hipocresía de la civilización, que convierte la muerte en deporte– sus propias proposiciones se pueden reducir al absurdo, es decir, a su verdadera esencia, para llegar así a rastrear las motivaciones más arraigadas de la condición humana. Así, el filme se estructura sobre el enfrentamiento entre dos hombres que en realidad son el mismo, pero también sobre la odisea de un personaje –como la muchacha de *La momia*– obligado a mirar de frente la otra cara de la civilización contemporánea: lo que le propone Zaroff a McCrea es, en el fondo, un retorno a la naturaleza, a la condición animal del hombre, y no será usando sus sofisticados sofismas como McCrea se salvará, sino recurriendo a tretas absolutamente primitivas y, finalmente, matando a su otro yo.

Desde una perspectiva visual, la película es también muy sugerente: el espacio salvaje de la isla adquiere tonalidades de pesadilla (niebla, vegetación fantasmal...), erigiéndose casi explícitamente en una representación del inconsciente, como el agua en *La momia,* un inconsciente colectivo al que McCrea regresa para asumir su realidad *por completo.* Y la condición dual del protagonista, su escisión en dos representaciones absolutamente distintas, se expresa mediante el cromatismo del vestuario: mientras Zaroff aparece siempre vestido de negro (el lado oscuro del inconsciente), McCrea luce eternamente inmaculadas camisas blancas (símbolo de la civilización), mecanismo cuyo significado se dispara en la última escena, con McCrea y Fay Wray alejándose en la lancha hacia un horizonte luminoso, al tiempo que Zaroff –de negro una vez más– cae herido de muerte por la ventana. De nuevo la conciencia racional consigue acabar con los residuos más molestos de sus deseos inconscientes, aunque, en este caso, ha debido cuestionar sus propias convicciones para ello.

El caso de *King Kong* es prácticamente idéntico. El escenario es el mismo, una isla salvajemente virgen, y también hay un personaje –de nuevo Fay Wray– que se ve obligado a enfrentarse a su inconsciente, representado aquí por un enorme gorila de expresión a la vez siniestra y tierna. Pero el discurso es distinto, puesto que ahora el regreso al primitivismo que propone el monstruo se aparece tan inquietante como atractivo para la protagonista: por un lado, le muestra un espectáculo dantesco –la isla fantasmagórica, los indígenas y los repugnantes animales que la pueblan–, pero por otro la sumerge en un universo en el que la atracción sexual se presenta al desnudo, sin máscara ni hipocresías, una mezcla de bestialidad y ternura explicitada admirablemente en la famosa escena en que el gorila se dedica a desvestir lentamente a Fay Wray.

No vale la pena extenderse en más comentarios sobre una

película tan estudiada, pero en lugar de ello hay que decir que se trata de un filme indudablemente único. La mostración física del ambiente de la gran depresión; la contraposición explícita entre una sociedad puritana y los deseos animales del gorila; la utilización del «monstruo» como una proyección de los miedos sociales, pero a la vez como el depositario de sus instintos más sanos, suponen, sí, un agudo comentario sobre las tendencias del género en la época, pero también una demostración de progresismo ideológico pocas veces superada en la historia del cine de terror.

Por otro lado, el tópico del lugar misterioso habitado por seres fantásticos a su vez dominados por un personaje egocéntrico y malvado, se repite en dos de los filmes más extraños del periodo, dos producciones de serie B de muy corta duración pero intensísimos resultados. El primero de ellos, *La legión de los hombres sin alma* (White Zombie, 1932), de Victor Halperin, está considerado como el primer filme de zombies y cierra así la extensa, completísima galería de monstruos creada por el género en Norteamérica durante la primera mitad de la década de los treinta. Como en el *Drácula* de Browning, Lugosi es aquí un misterioso personaje que utiliza la hipnosis para atraer a sus víctimas, a las que convierte en muertos vivientes. Pero lo verdaderamente importante de la película no es tanto este detalle argumental como las implicaciones –una vez más– sexuales del relato, sutilmente explicitadas por Halperin en un ambiente de pesadilla que algunos han comparado con el del *Vampyr* de Dreyer.

Así, Beaumont y su *amour fou* por la heroína son indiscutiblemente el centro de la trama, que se convierte de esta manera en una extraña narración a medio camino entre el fetichismo y la necrofilia, con la protagonista desgarrada entre el amor de su prometido (y después marido) y la pasión insana de Beaumont, y este último sometiéndose para conseguir sus fines a los conjuros de Lugosi, situación que le convierte en un personaje atormentado y verdaderamente atractivo.

La conclusión, de nuevo, es un enigmático dualismo: el que se esconde en la propia alma escindida de la protagonista, que descubre, bajo su barniz civilizado, la presencia del inconsciente en estado puro, su propio estado de inconsciencia, al que llega a través de las malas artes de Lugosi; el no saber nada, o quizás el saberlo todo en otra dimensión, representada por ese impresionante decorado final al borde del acantilado por el que caen Lugosi y Beaumont, en el fondo las dos caras de una misma moneda.

Desde este punto de vista, la extraña capacidad de sugerencia de la película, su narratividad sincopada y en apariencia confusa, fantasmal, se corresponden perfectamente con su planteamiento, basado en el bloqueo emocional –representado por la figura retórica del zombie y, por lo tanto, por la propia heroína– provocado por las tensiones existentes entre la racionalidad y la pasión, en definitiva el superyo y el ello, proyectado aquí este último en un lugar físico alejado de la civilización, y en una materialización más o menos «monstruosa» dedicada literalmente a la aniquilación de las conciencias.

El segundo filme aludido se titula *La isla de las almas perdidas* (Island of the lost souls, 1933), está dirigido por Erle C. Kenton, y es también otra obra maestra de un extraño y sofisticado primitivismo. Basada en una obra de H.G. Wells, se trata –como en *King Kong*– de un viaje al inconsciente –aquí también una isla– en el que campan a sus anchas las monstruosidades más terroríficas: animales convertidos por un sabio loco en patéticos híbridos humanos. Planteado en términos a la vez metasociales y míticos, el conflicto es, en apariencia, absolutamente básico: el Hombre, que se ha adentrado en solitario en el territorio descrito, es decir, en su inconsciente, sólo podrá salir de allí con la ayuda de la Mujer, cuando ésta –en la segunda parte del filme– acuda en su rescate y le arranque de sus ensoñaciones con la perspectiva de la formación de una familia. Así, como en muchos filmes de la época ya analizados, aquí se afirma que sólo la vida convencional puede salvar al ser humano de la locura, del infierno subconsciente.

Pero, en contraposición a este discurso superficial, el filme, entendido como la fantasía malsana de ese protagonista masculino antes de ser «salvado» por la hembra, tiene otros matices obsesivos. Por ejemplo, el hecho de que su tema principal sea la animalidad enfrentada a lo humano –o lo primitivo enfrentado a la civilización: véase la extraña casa del doctor Moreau, atravesada por plantas gigantes, árboles retorcidos, etc.– simboliza sin duda alguna el miedo irracional de la humanidad ante su pasado, la inseguridad con respecto a su propia identidad, un sentimiento profundamente enraizado en el subconsciente. Obsérvense, si no, a este respecto, varios datos: por un lado, la atracción hacia ese abismo que asalta al protagonista cuando besa a la mujer pantera sin saber muy bien por qué, alejándola de sí sólo cuando comprueba su condición animal; y por otro, el miedo atávico a la animalización, es decir, a la vuelta a lo primitivo, ejemplificado por los siniestros planes de Moreau, que pretende que la chica sea violada por los monstruos –miedo al sexo animal, pues, al contrario que en *King Kong*– para comprobar su fertilidad.

El conjunto de estos detalles –a los que se podrían añadir muchos más– revela así la verdadera personalidad del filme. Hay, sí, la mostración del rechazo burgués con respecto a estas cuestiones ineludibles, inherentes a la condición humana, pero también, en contraposición a ello, la presentación de un personaje como el doctor Moreau (un papel a la medida de Charles Laughton), en el que se acumulan las pulsiones inconscientes de toda su especie, y que se atreve incluso a objetivar sus fantasmas y mostrárselos a los demás, aún mucho más arriesgada y conscientemente que en el caso de Frankenstein.

Pero los prolíficos años 30 guardan aún ciertas sorpresa con respecto al género: dos obras maestras absolutamente atípicas, personales, distintas, que juegan con las constantes del código en este periodo para subvertirlas e imponer implacablemente la personalidad del autor por encima de arquetipos y convenciones. La primera de ellas, *La parada de los monstruos* (Freaks,

1932), del mismo Tod Browning que ya había dirigido la más impersonal *Drácula,* es sin duda el filme más revolucionario de la época en lo que a tratamiento del terror se refiere, tanto en el argumento y la puesta en escena como en el sentido final de la película. Se trata, como todo buen aficionado sabe, de una historia de amor imposible en un marco circense: el enano Hans se enamora de la bellísima Cleopatra, que le engañará y humillará sistemáticamente, hasta llegar al extremo de casarse con él sólo por conseguir su dinero y huir luego con su verdadero amante; pero la solidaridad mostrada para con el pequeño Hans por el resto de *freaks* (fenómenos: siameses, troncos humanos, etc.) empleados en el circo acabará poniendo las cosas en su sitio.

La primera parte es más bien un drama macabro y surrealista en el que, alrededor de la historia central de Hans y Cleopatra, se van anudando diversas subhistorias –la del payaso y la chica, la de las hermanas siamesas, etc.– que sirven de contrapunto y que a la vez introducen abiertamente, y en innumerables frentes, el tema de la normalidad y la anormalidad, que en la escena del convite nupcial se convertirá ya de una manera manifiesta en el centro del filme. En sí mismo una pequeña obra maestra, este fragmento constata ya impúdicamente la imposibilidad de conciliar ambos mundos: el intento, por parte de los *freaks,* de introducir a Cleo en su universo se salda con un estruendoso fracaso.

La segunda parte, donde se introduce ya el terror propiamente dicho, se dedica a plasmar sin tapujos el tema de la monstruosidad desatada, en el fondo una constatación de que el compromiso es imposible y de que la anormalidad pertenecerá para siempre al universo de las sombras. Y éste es el verdadero reto de *La parada de los monstruos:* contrariamente a lo que suele decirse, no creo que la tesis del filme se incline hacia la propugnación de la belleza de lo monstruoso y la monstruosidad de lo normal: la penúltima escena, pongamos por caso –los pequeños «monstruos» reduciendo a su vez a la monstruosidad a la bella

Cleopatra–, demuestra que los *freaks* pueden ser tan crueles como el que más. Lo que ocurre es que la presunta normalidad *provoca* –en el sentido más literal del término– las iras del universo subterráneo, de modo que una monstruosidad –la crueldad de los *freaks*– es consecuencia de la otra –la crueldad del universo «normal». Así, el filme es menos una celebración edénica –como parece sugerir la escena en la que los *freaks* juegan alegremente en un prado, inocentes como niños– que un apólogo pesimista sobre la naturaleza humana, irremisiblemente escindida en dos mundos– lo normal y lo monstruoso, lo consciente y lo inconsciente– que se acaban destruyendo entre sí y que sólo pueden vivir separados, como ilustra la última escena, al parecer añadida por Browning a regañadientes pero al fin y a la postre resumen del filme: cada oveja con su pareja, el payaso con la chica y el enano con la enana, siendo la mujer-gallina en la que han convertido a Cleopatra –el único monstruo real del filme, mezcla de animal y humano– la escalofriante representación de la conciencia humana escindida.

Como decíamos, no hay «monstruos» en la película de la misma manera que pueda haberlos en *El doctor Frankenstein, Drácula* o *El lobo humano:* hay, sin embargo, una perfecta demarcación entre el universo de la normalidad y el de la anormalidad, lo cual establece por sí solo la metáfora perfecta del cine de terror clasicista. La humanidad «normal» –el espectador de la época– extrae limpiamente los demonios de su propio interior para lanzarlos al exterior, confinarlos en un gueto aparte y poder atribuirles así todo tipo de fealdades y bajezas. La novedad de *La parada de los monstruos,* no obstante, consiste en devolver el golpe y escupir a la cara del espectador la única verdad sobre su propia condición: al contrario que en los otros filmes del periodo, la monstruosidad no sólo sobrevive, sino que invade como un cáncer el universo de la normalidad, convierte a los hombres –al revés de lo que pretendía el doctor Moreau– en los animales que fueron una vez.

En este sentido, la estrategia fílmica de Browning resulta impecable. El principio es de un objetivismo glacial, en cierto modo atroz, y muestra con total impasibilidad las humillaciones sistemáticas a que se ven sometidos los *freaks,* estableciendo así una sutil identificación entre el espectador y los fenómenos de feria que deambulan por el filme. De esta manera, el terreno ya está abonado para la explosión de la penúltima escena, ya mencionada, en la que la identificación, finalmente, se hace carne, es decir, cámara: en efecto, los *freaks* son filmados a su propia altura, bajo la lluvia, mientras cometen las mayores barbaridades, de modo que el público se vea obligado a participar de sus acciones desde su mismo punto de vista, se vea trágicamente reflejado en su propia crueldad, una estrategia que revela hasta qué punto se comprometió Browning, no sólo con su materia prima, sino también con su discurso.

El otro filme-rareza del periodo clásico es a la vez una de las obras más extrañas de toda la historia del cine de terror. Renunciando a cualquier tópico, encerrándose sobre sí misma con impertérrito laconismo, *Satanás* (The black cat, 1934), de Edgar G. Ulmer, toma un cuento de Poe como excusa para acabar modelando un relato exaltado y cruel, un ácido comentario social disfrazado de filme de serie B que, en una sorprendente operación de delirante síntesis, mezcla la dudosa herencia germana –no se olvide que Ulmer había nacido en Viena– con los esquemas narrativos norteamericanos para al final dinamitar ambas opciones con implacable habilidad.

Veamos. La estructura es típica del cine norteamericano de la época –una pareja normal en un espacio extraño, aunque aquí no se trate de una isla exótica ni de nada parecido, sino de... ¡una mansión de diseño!–, pero los elementos que la pueblan proceden tanto de una lectura alucinada de Poe como de ciertas obsesiones intelectuales, sociales y políticas que sólo podían provenir de una atormentada mente centroeuropea como la de Ulmer. En efecto, Lugosi es aquí un psiquiatra que responde por el estrambótico nombre de Vitus Werdegast y que se dirige al castillo de un arquitecto (Karloff) con el que tiene algo así como una deuda pendiente desde el final de la primera guerra mundial. Un accidente del tren que lo transporta, sin embargo, provocará que en el duelo final entre ambos caballeros se vea mezclada también una tranquila pareja de novios.

¿Qué se puede hacer con semejante argumento? Ulmer da la respuesta a través de una insólita utilización de la alusión, de la gravitación de un pasado atroz sobre las relaciones entre los dos personajes protagonistas. Por un lado, la extrañísima mansión de Karloff está construida sobre un campo de batalla de la gran guerra, y da lugar a una puesta en escena en apariencia fría y geométrica pero en el fondo dislocada y transgresora. Por otro, el relato inquietantemente elíptico de los acontecimientos pretéritos que han provocado la visita de Lugosi –Karloff es en realidad un ser monstruoso que traicionó a Vitus, le arrebató a su mujer, asesinó a su hija y se convirtió finalmente en redomado satanista– exhalan una fascinación morbosa que acaba impregnando tanto el estilo como la gestualidad de los actores.

De esta manera, la parábola se hace evidente: el pasado –la guerra, el horror– influye sobre el presente –el culto a Satán de Karloff es el culto a la muerte; su encierro es un aislamiento; Lugosi sólo está obsesionado con su pasado; etc.– hasta destruirlo por completo, como demuestra simbólicamente la dinamitación final de la mansión.

Pero, esquemas metafóricos aparte, lo que realmente otorga al filme toda su entidad es, por paradójico que parezca, la intervención de la pareja de enamorados, todo un cliché del cine hollywoodiense de la época que aquí alcanza una relevancia inusitada en este tipo de películas. Él es un escritor de novelas de misterio, la demostración palpable, pues, de que lo insondable, en la sociedad moderna, parece ya definitivamente relegado a la ficción, todo un comentario metatextual por parte de Ulmer, dicho sea de paso. Y ella, por su lado, no es más que una chica atractiva que despierta la libido y la agresiva sexualidad de Karloff, decidido a asesinarla en un dudoso sacrificio ritual.

La introducción de la pareja, en cualquier caso, permite a Ulmer plantear un feroz combate entre el horror del pretérito (Lugosi-Karloff) y la asepsia de la sociedad del momento (los enamorados), que finalmente se salda con una de las más turbadoras conclusiones del periodo: bajo la corteza de la civilización contemporánea –representada por los novios americanos– se esconde la podredumbre del horror y la violencia.

Se trata de un discurso en apariencia esquemático pero en el fondo repleto de inquietantes detalles. El hecho de que los enamorados sean norteamericanos y los personajes más tétricos procedan de la vieja Europa, por ejemplo, es una sardónica manera de plantear el conflicto básico de la época en la sociedad estadounidense: se quiere creer que los monstruos proceden del exterior (la inestabilidad europea, el *crack* de los poderosos), pero afectan de tal modo a la vida cotidiana que pueden llegar a materializarse malvadamente en la propia vida interna (la depresión, la crisis). Y, del mismo modo, el comentario explícito de que el terror es una creación del propio hombre –la guerra y sus consecuencias– dinamita todas las concepciones anteriores y aporta un factor de literalidad que convierte al filme en el más revolucionario y subversivo de su época: los «monstruos» hunden sus raíces en una de las más sangrientas actividades humanas, la guerra, que a su vez sirve de lóbrega premonición de los tiempos que se avecinan. En este sentido, la proyección creada por el filme se vuelve intencionadamente contra él –más o menos como en *La parada de los monstruos*– y acaba dinamitando sus propias bases, convirtiéndolo finalmente en una evidentísima parábola sociopolítica.[3]

3. La literatura de Poe provocó otras dos «adaptaciones» más o menos famosas durante los años 30, pero ninguna de ellas alcanzó la complejidad y la capacidad de alusión presentes en el filme de Ulmer. Para empezar, *Doble asesinato en la calle Morgue* (Murders in the rue Morgue, 1932), de Robert Florey, propone un marco interesante –la alusión a la bestia como antecedente directo del ser humano– pero acaba perdiéndose en incomprensibles digresiones de todo tipo, a me-

6.2. Las décadas de los 40 y los 50 en el cine hollywoodiense se saldan con la consagración de una triple tendencia que en el fondo es una sola. Por una parte, el glorioso florecimiento del género en los años 30 termina en una debacle inusitada: las figuras de los «monstruos» pierden su poder metafórico y alusivo para sumergirse en un océano de repeticiones e impurezas. En segundo lugar, la supuesta «renovación» del género –sobre todo en los años 50– es simplemente una aniquilación sistemática y premeditada de sus señas de identidad. Y, finalmente, las pocas interpretaciones más o menos «modernas» se quedan en un hecho aislado, sin continuidad inmediata en el marco del código en cuestión.

En cuanto a lo primero, la totalidad de las propuestas de los años 30 convergen en una única estrategia: la mezcla del material aparentemente más distante, con la consiguiente dulcificación –cuando no total corrupción– de los discursos originarios. Es sintomático, en este sentido, que la pluralidad de malvados, monstruos y demás caterva diabólica propia de la década anterior, se recicle ahora en la simple representatividad de las criaturas más carismáticas y/o llamativas para el espectador: el hombre-lobo, Drácula y Frankenstein.

Tres filmes representan a la perfección esta tendencia. *El hombre-lobo* (The wolf man, 1941), de George Waggner, es, por una parte, la segunda producción Universal sobre el tema de la licantropía, diametralmente opuesta a la versión de Stuart Walker gracias al escurridizo guión de Curt Siodmak. En contra de la vertiente psicoanalítica que explotaba el filme de 1935, aquí lo que se produce es un agudo conflicto entre la ciencia y la

---

dio camino entre *King Kong* y *El gabinete del doctor Caligari*. Y por su parte, *El cuervo* (The raven, 1935), de Louis Friedlander, es una película tan estrafalaria y desconcertante que ni siquiera es capaz de llevar hasta el final su turbadora propuesta ideológica: el parentesco entre el amor y el sadismo, es decir, entre los deseos conscientes y las pulsiones inconscientes.

superstición, pero de un modo tan ambiguo que los acontecimientos de la película pueden interpretarse simultáneamente en ambos sentidos.

En efecto, el guión de Siodmak –como los que después elaborará para Jacques Tourneur– juega tanto con la ambivalencia como con la dualidad, y es esa oscilación continua, ese perenne desplazamiento de las propuestas del filme, los que acaban otorgándole su escasa personalidad. Las construcciones binarias, en cuanto a significados, se plantean desde el principio. En lo que se refiere al caso de Larry Talbot (Lon Chaney Jr.), hay un médico que proporciona la explicación psiquiátrica y una gitana (la inquietante Maria Oupenskaya) que representa el primitivismo y el mito. Y en lo que respecta a la propia personalidad del protagonista –su condición de hombre-lobo–, se trata de un personaje trágico, condenado casi desde la escena inicial –es decir, circunscrito en la esfera de un destino implacable–, y a la vez de un simple heredero que se ve obligado a asumir su papel de hacendado por un padre autoritario (Claude Rains), en otras palabras, un arquetipo asociado al campo de las neurosis.

El primer aspecto es contemplado con ojos románticos: véanse, si no, los obsesivos versos de la gitana, el *travelling* de acercamiento al horrorizado rostro de Talbot cuando comprende por primera vez que es un hombre lobo, e incluso la escena de la transformación que, en contraposición a la de la versión de Walker, asume la materialización de un sufrimiento infinito para el protagonista... En cambio, la segunda «faceta» del personaje está plagada de detalles naturalistas, conformadores de una personalidad traumatizada: entre otras cosas, sabe que la chica de su vida nunca será suya –ya está comprometida– y también que, por culpa de un crimen que, en el fondo, no ha cometido –ha matado al gitano Bela (Lugosi, por supuesto), el licántropo que le transmite su maldición, pero no en su forma humana, sino creyendo que era un auténtico lobo– siempre se verá rechazado por el pueblo cuyos destinos en teoría debería regir.

Finalmente, esta condición dual, la lucha entre las dos vertientes del protagonista, adquiere la apariencia de una alegoría romántica. Al contrario que en el film de Stuart Walker, el análisis de la personalidad esquizofrénica no se realiza desde el frío objetivismo simbólico, desde la adjudicación a la figura del protagonista de una representatividad psicoanalítica –el lado oscuro de la humanidad en un momento sociopolítico determinado–, sino que, contemplado desde una perspectiva fuertemente individualista, se limita a narrar la historia de un solitario que muere de inadaptación y de amor, literalmente cercado por las fuerzas del orden –véase la escena final: la policía, el médico– y condenado a sucumbir ante el bastón de plata del Padre, símbolo inequívoco de una opresión no sólo familiar sino también social.

De esta manera, el desplazamiento en el discurso del cine de terror acontece ante todo en el nivel del concepto de monstruosidad. De la noción casi cósmica, universal pero a la vez muy local, que ostentan los monstruos de los años 30, al individualismo fatalista, endogámico y novelesco del hombre lobo interpretado por Chaney Jr., hay verdaderamente un abismo: el que separa al género entendido como reflejo de un inconsciente colectivo en una época determinada, de ese mismo código ya retorcido y falseado, reducido a la posible eficacia de su contenido arquetípico.

Las dos películas restantes representativas de esta tendencia culminan el proceso en el marco de una decadencia aún más exagerada. Tanto *Frankenstein y el hombre-lobo* (Frankenstein meets the wolf man, 1943), de Roy William Neill, como *La zíngara y los monstruos* (House of Frankenstein, 1944), de Erle C. Kenton –apenas una década antes distinguido artífice de *La isla de las almas perdidas*–, toman al personaje del hombre-lobo en versión Talbot/Chaney como rehén para perpetrar dos de los desaguisados más imperdonables de la historia del cine de terror, firmando así el acta de defunción provisional de un género que tardaría varios años en levantar cabeza.

El primero de esos filmes, producido por George Waggner y

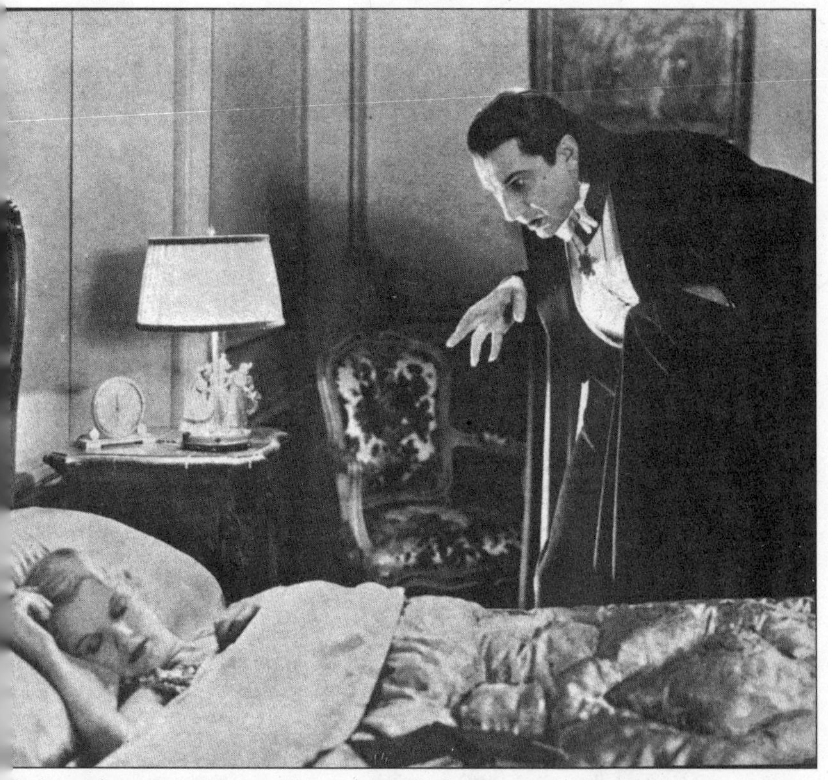

la Lugosi acechando a su víctima en *Drácula* (Dracula, 1931), de
d Browning: el vampiro entendido como proyección maligna de
periodo histórico al borde del caos.

Fredrich March y la sensual Miriam Hopkins en *El hombre y el monstruo* (Dr. Jekyll and Mr. Hyde, 1932), de Rouben Mamoulian, una obra maestra sobre el tema del doble y a la vez una parábola sobre el deseo sexual inconsciente.

La mujer-gallina y el tronco humano de *La parada de los monstruos* (Freaks, 1932), de Tod Browning: la escalofriante representación de la conciencia humana escindida.

Fantasmagoría narrativa y *amour fou* en el marco de la serie B: *La legión de los hombres sin alma* (White Zombie, 1932), de Victor Halperin, o la contribución de los zombis a la galería de monstruos de los años 30.

La fascinante Simone Simon dirige su mirada hacia un amenazador fueracampo en *La mujer pantera* (Cat People, 1942), de Jacques Tourneur: la superación del clasicismo hollywoodiense por la vía simultánea de la alusión narrativa y el exceso argumental...

...una táctica igualmente empleada en *I walked with a zombie* (1943), el siguiente filme de Tourneur y también una pieza maestra sobre la ambigüedad y la represión del deseo.

La bella y la mano: Andrea King observa aterrorizada a su extraño *partenaire* en *The beast with five fingers* (1946), de Robert Florey, una muestra de la autoliquidación del género en los años 40 y 50 a través de la abolición de sus señas de identidad.

He aquí a Terence Fisher, junto a Heather Sears, durante el rodaje de *El fantasma de la Ópera* (Phantom of the Opera, 1962): una mirada aparentemente impasible atrapada entre el ansia de transgresión y la autorrepresión casi masoquista.

El cartel publicitario del *Drácula* (Horror of Dracula, 1958) de Terence Fisher destaca el aspecto sexual del vampirismo, la liberación del deseo femenino reprimido por un universo machista.

Christopher Lee seduciendo a su víctima en el *Drácula* de Fisher: el vampiro entendido como descubridor de las frustraciones y represiones de la sociedad burguesa.

Una película básica para la evolución del género: Anthony Perkins y Janet Leigh frente a frente en *Psicosis* (Psycho, 1960), de Alfred Hitchcock, no sólo la sublimación del manierismo posclásico, sino también una reflexión sobre el papel de la mirada en el cine de terror.

Roger Corman, autor, entre otras, de *La obsesión* (Premature Burial, 1960) y *La máscara de la muerte roja* (The Mask of the Red Death, 1964), inició una renovación discursiva y formal en los márgenes del género que sólo el cine posterior haría germinar plenamente.

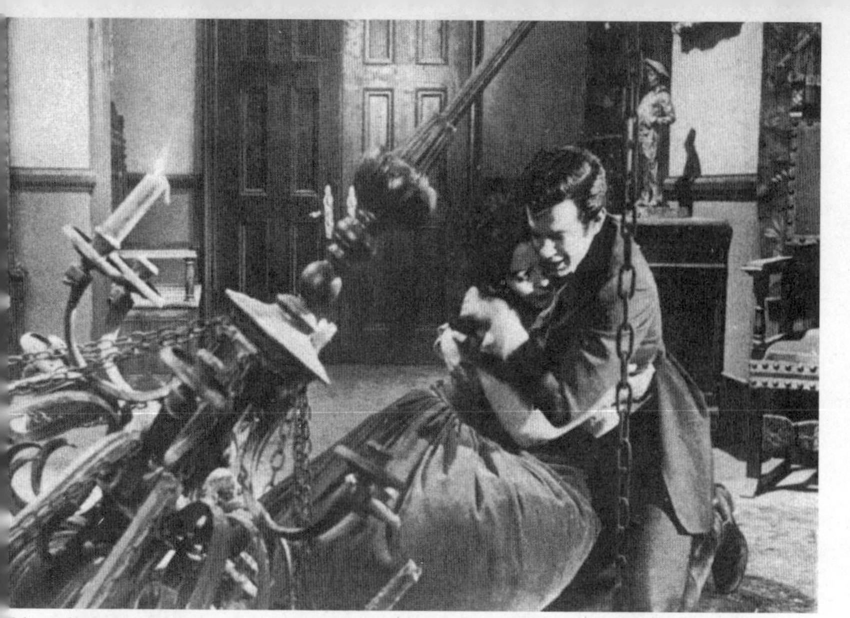

l hundimiento de la casa Usher (House of Usher, 1960), de Roger
ɔrman: la putrefacción, la perversión sexual, el anhelo de muer-
y la decadencia de una clase social.

ra actriz turbadora para el género: Barbara Steele en *La másca-*
del demonio (La maschera del demonio, 1960), el ejercicio
ınierista de Mario Bava que parte de los elementos más eviden-
del cine de terror para llegar a conclusiones próximas a la van-
ardia.

El famoso Leatherface de *La matanza de Texas* (The Texas Chainsaw Massacre, 1974), de Tobe Hooper, una renovación de la iconografía del género con el grupo familiar como sede de la neurosis.

De nuevo la mirada, esta vez la de Jodie Foster, a punto de abismarse en las profundidades del mal: *El silencio de los corderos* (The silence of the lambs, 1991), de Johnathan Demme, o el juego posmodernista y sarcástico con la tradición.

Inseparables (Dead Ringers, 1989), de David Cronenberg, retrata la fragilidad de la condición humana a través de la obsesión (auto)destructiva y nihilista, una consecuencia inconsciente de los turbulentos 80...

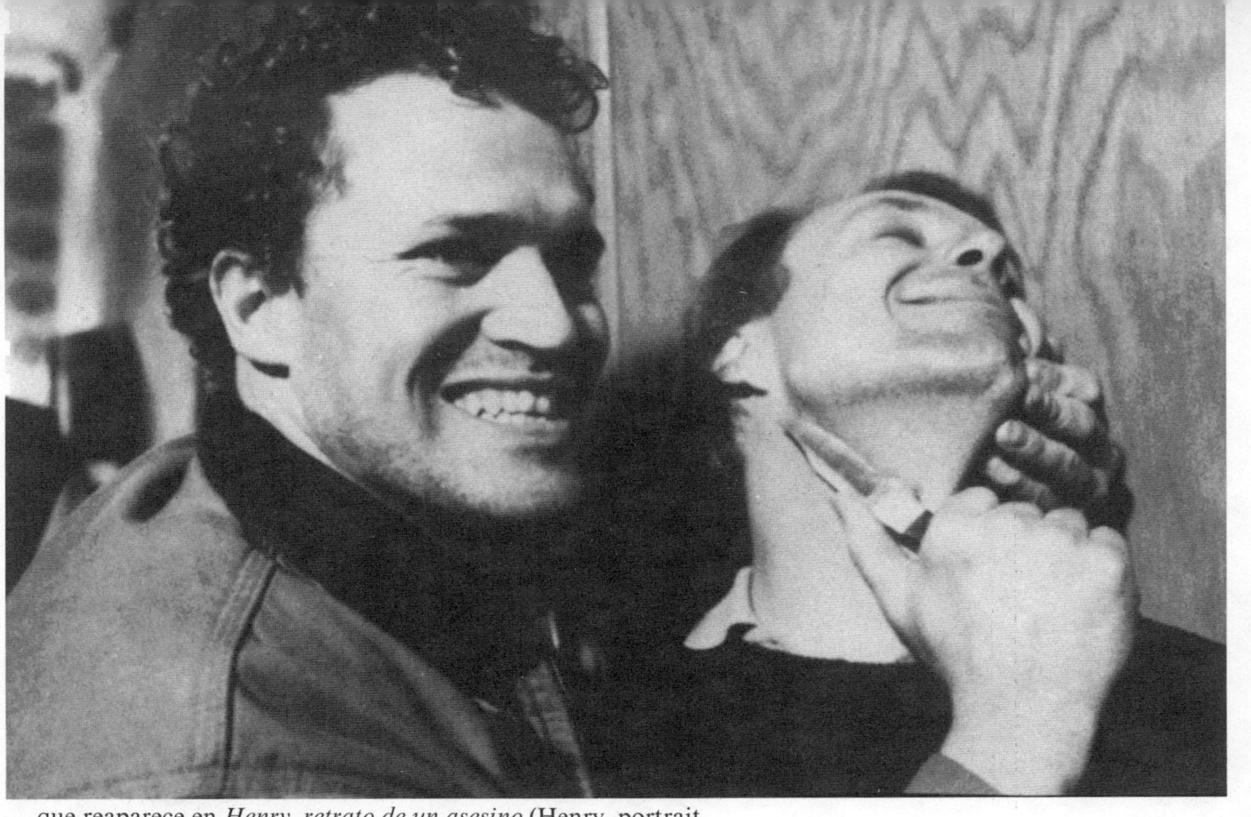

... que reaparece en *Henry, retrato de un asesino* (Henry, portrait of a serial killer, 1988), en forma de parodia «documental» de las *psycho-movies* más espeluznantes.

escrito por Curt Siodmak –director y guionista de *El hombre-lobo*, respectivamente–, pretende reunir dos mitos del reciente cine clásico de terror para convertir el relato en una especie de paroxismo del género –apagadamente ejemplificado en ese final en el que el monstruo de Frankenstein y el hombre-lobo se enzarzan en una lucha a muerte en el castillo del doctor que creó al primero: toda una acumulación de *gadgets*–, pero en el fondo consigue resultados diametralmente opuestos...

Para empezar, la sustitución, en el nivel iconográfico, de Boris Karloff por Bela Lugosi interpretando a la criatura de Frankenstein, otorga ya al filme un empalagoso amaneramiento que acaba traspasándose a sus imágenes. Y, como consecuencia, la utilización de símbolos y escenas típicos de la década anterior –el cementerio inicial, el pueblo centroeuropeo, el campamento de gitanos, la taberna, el castillo...–, aparece absolutamente vaciada de sentido, no extremada en su función de signo, sino reducida a un simple movimiento reflejo de reconocimiento genérico, con lo que la inclusión del hombre-lobo en el ambiente que el espectador reconoce como típico de Frankenstein, no acaba siendo en absoluto transgresora o delirante, sino una mera operación acumulativa.

Traspasado todo esto al nivel estrictamente genérico, el filme se muestra también huérfano en lo que se refiere a sus propias señas de identidad, puesto que abandona los signos «terroríficos» por los esquemas de un simple relato melodramático que se dedica a «borrar» circularmente los ambientes, desde el de la taberna hasta el del castillo, pasando por los exteriores. De este modo, la peripecia principal –el ansia de muerte del hombre-lobo– pierde toda caracterización trágica para convertirse en un aglutinador de sucesos absolutamente inconexos, como mucho en el símbolo perfecto de lo que le ocurre al género y a sus criaturas en la época: cansados de vivir, agotados sus recursos, sólo parecen buscar la más absoluta extinción.

Ésta es también, en efecto, la conclusión de *La zíngara y los monstruos*, otra vuelta de tuerca a la decadencia del código y puntilla definitiva al cine de monstruos del periodo clásico, por mucho que la dirección de Kenton sea algo más competente que la de Neill. El filme intenta ir más allá que su predecesor incorporando al elenco de criaturas repugnantes nada menos que al conde Drácula (¡interpretado por John Carradine!) y a un jorobado apócrifo (J. Carroll Naish), y haciendo que este último, en vil remedo de *El jorobado de Notre-Dame,* se enamore de una gitana vagabunda, pero lo único que consigue es la desintegración total de la unidad cinematográfica en dos partes bien diferenciadas, incapaz de conseguir ya una mínima homogeneización: por un lado, el episodio de Drácula, aceptablemente atmosférico y mínimamente inquietante –la americana que sucumbe bajo los encantos del refinado conde centroeuropeo–, y por otro, y tras un corte más que brusco, la repetición, casi calcada del otro filme, del encuentro entre Frankenstein y el hombre-lobo.

Esta patética escisión, esta desoladora desintegración, es ya la muestra inequívoca de que el género no puede sobrevivir en estas condiciones, es decir, repitiendo los esquemas y los símbolos de la década anterior: los tiempos han cambiado, el país ya está literalmente en guerra con los fantasmas que le asediaban y, por lo tanto, ya no necesita exorcizarlos en la pantalla, con lo que su representación deviene el hueco reflejo de una ausencia. En otras palabras: la absurda reiteración de una «proyección» –la de los conflictos internos del inconsciente– ya innecesaria, dado el hecho de que los peores instintos de la condición humana tienen ya un campo de batalla real en el que desatar su ira. Como consecuencia, pues, el terror se convierte en sarcasmo y la sensación de amenaza colectiva en simple conflicto de intereses.

El resultado lógico de todo este proceso –y ya estamos en la segunda característica del posclasicismo más inmediato (véase más arriba)– es, por supuesto, la autoaniquilación del propio género, la cesión de todas sus señas de identidad en beneficio de la inmersión en otros códigos, otras reglas. Y las películas que mejor lo resumen, sin duda, son dos muestras muy distintas de lo que se podría llamar la difuminación del código, cada una de ellas contemplando la operación de desguace desde una perspectiva opuesta a la otra.

El primero de esos filmes es *El fantasma de la Ópera* (The Phantom of the Opera, 1943), de Arthur Lubin, una producción de George Waggner para la Universal que es a la vez una horripilante versión del clásico mudo de Rupert Julian.[4] En efecto, frente al romanticismo tenebrista de este último, Waggner y Lubin adoptan una postura abiertamente melodramática: por un lado, aquí sí se explica la procedencia del fantasma, pero este dato, que podría servir para añadir mayor complejidad al tema, se queda únicamente en un intento de racionalizar el texto o, mejor dicho, de domesticarlo, y de ahí –por otra parte– surgen todas las opciones posteriores –o paralelas– del filme.

Así, a medio camino entre la opereta –incluyendo la presencia del impresentable Nelson Eddie–, la comedieta y el melodramita criminal, el filme lo es todo menos una película de terror, pues ni existe un discurso subterráneo serio, ni tampoco una opción formal que pudiera sustentarlo: si Claude Rains es únicamente un «pobre hombre» que jamás llega a alcanzar ningún tipo de resonancia maligna o romántico-trágica, los decorados sobre los que se mueve su figura y la planificación que la encuadra son tan torpes y planos como la propia utilización del color. De este modo, la película acaba enseñando sus cartas: se trata de una operación de *qualité* a la americana, un intento de disfrazar de obra «seria» un argumento terrorífico, con lo que el verdadero género del filme queda siempre oculto, entre los gorgoritos

4. Algún día habrá que estudiar la peculiar contribución realizada por Waggner al cine de terror de la Universal de los años 40, es decir, a la decadencia del género. Por el momento, recordémoslo como responsable más o menos directo de filmes como *El hombre-lobo*, *Frankenstein y el hombre-lobo* –ambos ya comentados en estas páginas– o este *Fantasma de la ópera* que se va a analizar a continuación.

procedentes del escenario y las absurdas evoluciones del fantasma por las alcantarillas.

Se trata, pues, de una liquidación del clasicismo genérico por la vía de la abolición de sus señas de identidad, pero esta vez –a diferencia de filmes como *Frankenstein y el hombre-lobo* o *La zíngara y los monstruos*– de una manera absolutamente intencionada, deseada, de modo que la exageración de los signos distintivos no termina en parodia involuntaria, sino en un claro y premeditado suicidio.

La segunda muestra de esta operación en absoluto oculta se titula *The beast with five fingers* (1946) y está dirigida por Robert Florey, autor además de filmes como el ya mencionado *Doble asesinato en la calle Morgue* y modesto especialista en el género.[5] Se trata de una película agradable, de bonita factura e incluso a veces fascinante, pero tampoco acaba siendo un filme de terror, aunque pretenda presentarse como tal.

Producida por la Warner y escrita por Curt Siodmak, la cinta empieza como un melodrama gótico-criminal de mucha atmósfera y poco interés, y va derivando poco a poco hacia un cuento fantástico y casi surrealista con Peter Lorre y su traviesa mano como absolutos protagonistas. Pero no es eso lo más importante, sino el estilo de Florey a la hora de ponerlo en escena en ciertos momentos de la película. La mano que se mueve y anda, por ejemplo, no es real, no es algo filmado objetivamente, es sólo un producto de la imaginación de Lorre que Florey filma como si existiera objetivamente, sin recurrir al plano subjetivo. En otras palabras, algo así como una subjetividad objetivada y presentada de ese modo a los ojos del público: una treta muy hábil que convierte al espectador en un psicópata condenado a ver lo que el psicópata del filme (Lorre).

En otras ocasiones, sin embargo, la utilización del plano

5. Estuvo a punto de dirigir las versiones sobre el mito de Frankenstein que finalmente realizó James Whale.

subjetivo resulta trascendental, como en la escena en la que Lorre cree estar escuchando el piano y Andrea King se da cuenta de que sólo son imaginaciones suyas: el plano subjetivo de Lorre muestra la mano tocando, mientras que el plano subjetivo de Julie muestra el piano vacío. Y del mismo modo, en una atrevida opción formal, las panorámicas que van del rostro de uno al del otro, hacen aparecer y desaparecer alternativamente la música, según nos identifiquemos con Lorre o con la chica. Se trata del final del misterio, de la explicación del filme, la confirmación de que el público ha estado compartiendo la mente de un loco y de que ahora el director le hace despertar de su sueño...

En este sentido, todas estas filigranas realizadas con el punto de vista no sirven de nada cuando, al final del filme, el misterio adquiere una interpretación verbal, algo que ya había hecho en parte con el relato de la chica: en ese momento, sus más atrevidas propuestas se ahogan en un mar de evidencias, y el aura pasablemente terrorífica de la película se queda, como mucho, en el reflejo de un agradable cuento de misterio. Al contrario de lo que ocurría en *El fantasma de la ópera,* aquí la aniquilación del género no se efectúa desde un principio, modificando visiblemente las propuestas típicas del código en cuestión, sino que va introduciéndose sibilinamente en la ficción para estallar al final en un golpe seco y expeditivo.

Pero serán los años 50 los que traigan la desolación completa al género, los que provoquen su desintegración más absoluta. Siguiendo los pasos de *La bestia con cinco dedos,* las propuestas se presentan de una manera atrevida, pero el tono general continúa siendo la contención. *Los crímenes del museo de cera,* de André De Toth, por ejemplo, no repite los esquemas del filme de Florey –descalificación abierta mediante explicaciones finales–, entre otras cosas porque su trama argumental no se presta a ello, pero sí acaba mezclando su atractiva y bruñida superficie con la estrategia de *El fantasma de la ópera* –establecer la distancia desde el principio–, de modo que el resultado sigue siendo el mismo.

Al hilo de este razonamiento, el hecho de que la Warner retomara para la ocasión el argumento de un filme de Michael Curtiz de 1933 –*Mistery of the wax museum*– no es en absoluto casual, porque en el fondo la operación instaura una metáfora perfecta de la situación del cine de terror americano de los años 40 y 50: Jarrot, el protagonista (Vincent Price), persigue la belleza y la coherencia, pero las circunstancias le abocan, no sólo a recurrir al tremendismo para el modelado de sus figuras de cera, sino también a vivir en carne propia esa violencia.[6] En otras palabras: el cine americano de terror está cambiando, se está convirtiendo en otra cosa y, en este sentido, su decurso marca el signo del filme, que camina ineludiblemente hacia el *thriller* más o menos de suspense, abandonando por momentos el clima inquietante del principio en favor de la intriga policíaca.

Como resultado –y a pesar de la presencia de un aspecto que podría haber redimido a la película: la pasión de Jarrot por Susan, que adquiere connotaciones sexuales cuando, en la última secuencia, ella queda atada y desnuda a merced del loco–, el distanciamiento que impone el tono general del filme acaba manifestándose en la totalidad de su contenido y, sobre todo, en la relación que establece con el espectador: por un lado, la filmación en tres dimensiones comunica visualmente a este último que sólo está asistiendo a un espectáculo –apelación directa al público: el hombre con las palas de madera a la entrada del museo–, y, por otro, la utilización de la puesta en escena en ciertos fragmentos delata la impotencia de De Toth a la hora de otorgar inquietud al filme.

Esta última característica se manifiesta sobre todo en dos escenas simétricas que se revelan trascendentales para señalar los límites de la película: aquella en la que, al inicio, Jarrot

6. Violencia que en ningún momento se presenta en pantalla –excepto en el asesinato del socio– y que, por lo tanto, no adquiere nivel de sujeto fílmico ni siquiera mediante la sugerencia: esto no es elegancia elíptica sino asepsia.

muestra su museo a un crítico de arte, y aquella otra de la presentación durante la noche de la inauguración. Se trata de dos mostraciones que se dirigen tanto al crítico o al público del museo como al público de la sala de cine,[7] y que en el fondo vienen a decir que el terror es ya sólo un espectáculo inerte, como las figuras de cera, que acaban representando para el público aberraciones del pasado.

Otra producción Warner de la misma época –*El fantasma de la calle Morgue* (Phantom of the Rue Morgue, 1954), de Roy del Ruth– presenta también la figura de un psicópata que comete crímenes relacionados con su trabajo. Si allí se trataba de un artista, de un escultor, que deseaba alcanzar la belleza mediante el crimen, aquí es un científico –concretamente un psicólogo– que demuestra sus teorías inspiradas en el psicoanálisis freudiano haciendo que un enorme gorila mate por él, atendiendo al estímulo de ciertas pulseras con campanitas que siempre regala a sus víctimas.

En general, el filme mezcla a Poe con Freud con resultados más bien anodinos, pero tiene un cierto interés cuando se propone bucear en el funcionamiento mental del mencionado psicópata, que por cierto atiende por Marès y está interpretado por un histriónico Karl Malden. En este sentido, como en la película de De Toth, los impulsos del asesino se presentan como algo de raíz más bien sexual: rechazado por su mujer, que acabó suicidándose porque él quiso retenerla en contra de su voluntad, Marès dedica desesperadamente su vida a la búsqueda de otra hembra, pero, dada la lógica resistencia de las escogidas, no tiene otro remedio, según él, que matarlas. Y en este punto es donde el filme ilustra a la perfección la tesis freudiana de Marès: todos somos asesinos en potencia, por lo que sólo nos falta una excusa y un estímulo para serlo en acto.

7. Ambas secuencias presentan una escenificación estática, teatral, en la que Price se erige en portavoz del filme y emite su locución tanto para los personajes como para el espectador.

De ahí que la representación animal de ese inconsciente asesino –el gorila, que también aparecía en la primera versión de este filme, dirigida por Florey y comentada más arriba en nota a pie de página– adquiera aquí un carácter universal: el mal no sólo está en Marès, como reza su propia tesis, sino también en el lanzador de cuchillos del principio, en el propio personaje interpretado por Steve Forrest –la contrapartida «positiva» de Marès que, en el fondo, también comparte sus creencias, a juzgar por la atinada exégesis de las mismas que realiza ante el inspector– e incluso en el propio inspector, decididamente poco simpático para tratarse de un filme hollywoodiense y únicamente dedicado, de una manera obsesiva, a la caza del asesino.

De esta manera, la descomposición de los rasgos clasicistas del género se realiza en esta película de un modo muy curioso que acaba mezclando dos tipos de operaciones: la difuminación del código como tal y la aparición de ciertas tendencias que serán la base de su renovación. En cuanto a lo primero, la forma es ya más de *thriller* convencional que de otra cosa, en un grado incluso mayor que en *Los crímenes del museo de cera,* y los potenciales rasgos terroríficos quedan absolutamente diluidos en la impersonalidad de la puesta en escena.[8] Y respecto a lo segundo, el filme se aleja decididamente de la identificación monstruo-hombre propia del clasicismo para adentrarse en otros terrenos, mucho más relacionados ya con la exploración de la mente y el tema del neurótico obsesivo, propio –como se verá– del periodo posterior: la canalización del mal, no hacia la proyección en un monstruo exterior, sino hacia la recreación de una frustración, de un universo ya absolutamente privado muy parecido al de los héroes de Roger Corman, e incluso colindante con la ebullición erótica de las películas de Terence Fisher y la Hammer.

8. Resulta curioso comprobar que los dos filmes de los años 50 analizados aquí están realizados por directores más bien ajenos al género, al contrario de lo que ocurría en los años 30: piénsese, por ejemplo, en personajes como James Whale o Tod Browning.

En este sentido, se podría establecer una hipótesis muy curiosa con respecto a estos filmes de los años 50: mientras formalmente pertenecerían a un clasicismo decadente –frialdad expositiva, academicismo más bien hueco, pérdida de la fluidez y la coherencia genéricas...–, ideológicamente podrían incluirse en un premanierismo (véase el capítulo VII) temprano, en el universo de la introspección atormentada. Un choque –siguiendo con la hipótesis– que daría lugar a una tensión que finalmente estallaría en la renovación ya total, ideológica y formal, representada por Corman y Fisher.

Esta renovación por agotamiento, sin embargo, quizá no se hubiera producido si el género hubiera seguido desde un principio los caminos marcados por ciertas tendencias de los años 40 –y ya entramos en la tercera de las corrientes enunciadas al principio–, por un grupo de filmes férreamente relacionados entre sí que conviene analizar por separado debido a su insólita condición en el marco genérico de la época.

Las películas, claro está, son las de Val Lewton, productor de serie B de la RKO, y la nómina de realizadores mezcla nombres aparentemente tan dispares –si se atiende a su carrera posterior– como los de Jacques Tourneur, Robert Wise o Mark Robson, pero lo importante no es esta información meramente objetiva, sino el hecho de que los filmes resultantes fueran prácticamente los únicos que se atrevieron a romper con la tradición de una manera positiva, es decir, elaborando nuevos presupuestos partiendo de cero. En este sentido, tanto *The ghost ship* (1943), de Robson, como *The body snatcher* (1945), de Wise, por poner dos ejemplos emblemáticos, son filmes apreciables y extremadamente competentes, realizados con esmero y capacidad de síntesis, incluso impulsivamente renovadores en algunos de sus aspectos, pero en ningún momento asimilables en altura y calidad a los dirigidos por el otro componente del trío, un emigrado francés que no sólo introdujo en la estructura arquetípica del código ciertas figuras ignoradas hasta entonces, sino que además dotó a la puesta en escena de nuevos mecanismos, estrategias renovadas que aún hoy en día nos parecen sorprendentemente modernas y atrevidas.

En efecto, los pasos de Jacques Tourneur en el cine de terror (VV.AA., 1985) se inician con *La mujer pantera* (Cat People, 1942), una de las obras maestras absolutas del periodo y una película básica para la evolución del género. Íntegramente fundado en la ambigüedad, el filme nunca deja claro si la protagonista, Irina –una fascinante Simone Simon– sufre una grave enfermedad mental o realmente posee la facultad de convertirse en pantera, por mucho que el estudio se empeñara en apoyar la segunda hipótesis mediante subrayados tan poco sutiles como el plano del felino insertado en la escena de la muerte del psiquiatra. El caso, de todas formas, tiene amplias raíces sexuales, pero –y ahí radica la novedad con respecto a las películas de los años 30– éstas se ofrecen *explícitamente* al espectador, de modo que cuando el psiquiatra besa a Irina, o cuando ella misma siente celos con respecto a su marido, la transformación se produce de una manera inmediata.

De este modo, no se trata de un problema de frigidez, como apuntan algunos, sino de una sobreabundancia de pasión: Irina conduce el acto amoroso hasta su más bello y lógico final, la muerte, por lo que tiene que reprimirse para no vulnerar los límites sociales, que han convertido el amor en algo dulce y sumiso, sobre todo con respecto al papel de la mujer. Y de ahí que este apasionamiento pueda llegar hasta la aniquilación del *partenaire,* la absorción física del amado –a través del beso o el orgasmo– o la de la contrincante –a través de los celos: véanse los dos ataques a Alice, la compañera de trabajo del marido.

Se trata de una caracterización de la protagonista que a su vez conecta con el otro gran tema del filme, que es también uno de los grandes temas del cine de Jacques Tourneur: la anormalidad (Irina) enfrentada a la normalidad (la pareja compuesta por su marido Oliver y su amiga Alice) y rechazada por unas reglas sociales que sólo permiten el estereotipo. Un esquema que situaría al personaje de Irina más allá del clasicismo y le otorgaría un estatuto casi único en la historia del género, puesto que su conversión en pantera no respondería a la proyección exterior de sus deseos ocultos, sino a su sublimación interior, a su enfrentamiento voluntario con el entorno.

En este contexto, el siguiente filme de Tourneur, *I walked with a zombie* (1943), no es más que otra vuelta de tuerca sobre la materia, otra historia de *amour fou* esta vez disfrazada de película de zombis y aderezada con la estructura de *Jane Eyre* y el *look* de *La mujer pantera.* Como en esta última, la ambigüedad se erige en el centro del relato: la esposa de Holland, ¿es realmente una enferma mental –a causa de unas fiebres tropicales– o un zombi creado por su suegra, una bruja con apariencia de anciana bondadosa? La respuesta no es tan importante como el evidente parentesco que une a esta mujer con la desgraciada Irina, pues, como esta última, ella tampoco pudo refrenar su pasión: casada con Paul Holland, se enamoró perdidamente de su hermanastro Wesley Randt, hasta el punto de pretender huir con él, situación que *posiblemente* provocó dos intervenciones simétricas de los garantes del orden familiar, la de su suegra –que pudo convertirla en zombi– y la de su propio marido –que pudo provocarle la enfermedad impidiéndole la huida.

En cualquier caso, como en el filme anterior, el centro del relato está ocupado por la represión del deseo, de modo que, narrada desde el orden –la voz en *off* de la enfermera–, la intriga tiene que terminar con su restablecimiento: en una escena arrebatadoramente lírica, Westley mata a la mujer que amó –con una flecha arrancada de la estatua de san Sebastián que guarda la entrada de la gran mansión familiar: un símbolo fálico igual al bastón-espada del psiquiatra que mata a Irina– y se introduce con ella en el mar, mientras Paul y la enfermera –la normalidad burguesa– se disponen ya a vivir su amor con absoluta tranquilidad.

Este hervidero de símbolos y sugerencias interiorizadas, sin embargo, no culmina en sí mismo, sino que se despliega ampliamente en la superficie de un estilo a la vez sobrio y exuberante, aparentemente transparente pero en el fondo lleno de alusiones y formas metafóricas, a medio camino entre el clasicismo de la década anterior –al que somete a una extrema depuración– y el despunte de ciertos estilemas que lo subvierten y acosan –la utilización de la elipsis y el sonido, la inclusión más explícita de los símbolos...–, convirtiendo así los filmes en expresiones complejas de un conflicto: el que se dirime entre el exterior y el interior, entre una normalidad represora y la sensualidad de la pasión, o entre un clasicismo agonizante y la capacidad simbólica del impulso autoral, un enfrentamiento que supone el precedente directo –como se verá– del periodo subsiguiente.

VII
EL MANIERISMO COLORISTA (1957-1965)

7.1. A partir del derrumbe de la escritura clásica, el cine de terror empieza a diversificar sus caminos tanto en lo que se refiere a cinematografías como en lo que respecta a pluralidades estilísticas. Es decir, al mismo tiempo que el liderazgo hollywoodiense deja paso a la irrupción del cine europeo en los senderos del género –o, en su defecto, a la producción norteamericana más o menos independiente–, las imposiciones de su código se hacen añicos, los atropellados titubeos de los años 40 y 50 se convierten en la realidad de un estilo a la vez unificado y multiforme.

El resultado, evidentemente, es la relajación del código en cuanto conjunto de normas y su sucesiva conversión en un recipiente más o menos moldeable, listo para albergar cualquier propuesta autoral que se le presente. En este sentido, por ejemplo, la aparición de un cineasta como Terence Fisher, que hubiera resultado imposible en el contexto del cine clásico, inaugura, en el ojo del huracán del periodo siguiente, toda una serie de realizadores autoconscientes que tendrá su lógica continuidad en la persona y la obra de gente tan dispar –y a la vez tan similar– como Mario Bava o Roger Corman.

En este caso, no resultaría en absoluto ociosa la comparación entre dos cineastas como Tod Browning y el propio Fisher, lo bastante representativos de sus respectivos periodos como para erigirse en característicos de sus propuestas con respecto al género. En principio, ambos parecen adscritos al cine de terror a través de una carrera repleta de títulos pertenecientes al código en cuestión, pero la realidad es muy otra: mientras la vinculación de Browning es puramente genérica, sometida al sistema de los estudios hollywoodienses y arbitrariamente diversificada según las disponibilidades del momento, el *status* de Fisher –aunque también enraizado en la férrea disciplina de la Hammer (véase EYLES, 1973)– acaba cuestionando su propia herencia en favor de una expresión personal más nítida, de una mayor coherencia de su discurso.

Todo esto, naturalmente, debe apreciarse, no como una característica típica del clasicismo norteamericano de los años analizados en el capítulo anterior, sino como un rasgo diferenciador del cine de terror en sí mismo. Mientras en el terreno de la comedia o el *western*, por ejemplo, autores como Howard Hawks o John Ford se cierran sobre sí mismos y son capaces de construir lo que se llama un «universo personal» en el seno de la política de los géneros, en el cine de terror esta lucha por la coherencia se centra más en el objeto individual –es decir, el filme– y su relación con el resto del cuerpo genérico, que en el conjunto de la obra personal.

Las razones de todo esto no están demasiado claras, pero sin duda una posible explicación podría residir en las especialísimas características «psicológicas» del género en el periodo clásico: el método de la «proyección», de la plasmación de los fantasmas de la mente en arquetipos exteriores sobre los que se volcaba todo tipo de deseos reprimidos, no permitía precisamente la sublimación de las pulsiones personales, presentes, sí, pero jamás prepotentes. En consecuencia, el hecho de que personajes como Whale o Browning llegaran a filmar una buena cantidad de películas pertenecientes al género, no significa nada en cuanto a su postura autoral, pues no hay duda de que la similitud entre *El doctor Frankenstein* y *Drácula,* por ejemplo, es más acusada que la que puede establecerse entre esta última y *La parada de los monstruos,* ambas, sin embargo, realizadas por el mismo director.

El cambio que se produce ya bastante avanzada la década de los cincuenta es, en este sentido, absolutamente revelador, y las fechas escogidas para representar el periodo implican por sí mismas las dos vertientes más externas del fenómeno, reflejadas a su vez en dos filmes emblemáticos del mismo realizador: por un lado, la primera consolidación del autor que se sirve de las matrices del género para desarrollar un discurso único, hasta el punto de situarlo en los límites mismos de la estructura genérica –*La maldición de Frankenstein* (The curse of Frankenstein, 1957), de Terence Fisher–, y, por otro, la culminación de un estilo –o conjunto de estilos– a través del último filme que dedicó ese mismo autor al mito del vampiro –*Drácula, príncipe de las tinieblas* (Dracula, Prince of Darkness, 1965)–, aniquilación definitiva de una cierta concepción del cine de terror que venía desarrollándose desde las primeras utilizaciones de la figura del «monstruo» en la pantalla.

A partir de ahí, es la propia filmografía de Fisher la que puede establecer con mayor pulcritud el contenido ideológico y las bases estilísticas del periodo. En primer lugar, lo que se podría denominar la aparición del concepto de «defensa» en sustitución del de «proyección», y, después, la implantación de un cierto código «manierista» dedicado a la deformación ya consciente de las formas llamadas clásicas.

En cuanto a lo primero, el mal procedente de los fantasmas mentales o sociales ya no se sitúa en el exterior, ya no se materializa en monstruos casi abstractos y representativos de las imágenes inconscientes de los protagonistas, sino que inicia un movimiento de contraataque que se desarrolla implacablemente alrededor del cuerpo social, provocando en éste una actitud claramente defensiva: defensa de las propias estructuras y del individuo con respecto al enemigo, que ya ha dejado de residir en el exterior, pero también defensa exacerbada –como consecuencia del repliegue– de los valores sociales reaccionarios y/o tradicionalistas frente al progreso y, sobre todo, la expresión de la sexualidad, dos elementos que suelen asociarse inconscientemente con el propio mal.[1]

1. Todo ello, sobre todo, por parte de los personajes: el autor –por ejemplo en el caso de Terence Fisher– mantiene una actitud más o menos ambivalente.

Por su parte, y como consecuencia directa, la descomposición del estilo clásico da como resultado un nuevo tratamiento visual de los arquetipos del género: la dualidad del clasicismo, expresada mediante la ruptura virtual de la normalidad sintáctica a través de un elemento atípico –ya sea las sombras con respecto a las luces, el *travelling* con respecto al plano fijo o cualquier otra cosa–, queda sustituida aquí, o bien por una especie de ruptura interna del propio plano que no se refleja en el enfrentamiento, sino en la confusión laberíntica y/o geométrica de sus elementos (decorados, gestualidad de los actores, disposición de los objetos...), o bien por la ordenación hipotáctica de los planos en su continuidad, es decir, por la ruptura de una escritura aparentemente plácida, como era la del clasicismo, y su conversión en una acumulación constante de puntos de vista y angulaciones.

Se trata, pues, de una voluntad de reformar los códigos clásicos a través de su violentación escénica en el marco de una aparente continuidad de la tradición formal: un manierismo que utiliza el dinamismo de las líneas y la experimentación con el color para representar, en palabras de José María Latorre, «un desplazamiento del acento moral hacia zonas más turbulentas de la personalidad del ser humano» (VV.AA., 1991, pág. 46), es decir, para abandonar la mirada exterior del clasicismo e internarse en las abismales profundidades del yo asediado por el «mal».

7.2. A partir de ahí, el universo de Terence Fisher, sin duda, como se ha visto, el más representativo del periodo, alberga una doble manifestación: por un lado, la fascinación por ese universo decadente –el del grupo social defendiéndose de una monstruosidad que es su propio reflejo deformado–, por ese manierismo formal e ideológico que expresa una tensión creciente tanto en los comportamientos como en los decorados, tanto en las personalizaciones del mal –Drácula, Frankenstein– como en aquellos que luchan contra ellas –básicamente, la clase burguesa–; por otro, la nostalgia por el puritanismo racionalista que está sucumbiendo frente al asedio exterior, incluso la solidaridad formal con el clasicismo que consideraba al hombre casi absolutamente ajeno a la creación de monstruos...

Se trata de una tensión cuya resolución deja abiertos varios interrogantes, puesto que, no sólo los personajes «dudan» entre la atracción del abismo y la defensa de sus propios valores en decadencia, sino que también la propia puesta en escena adopta una apariencia –hay que repetirlo: apariencia– clasicista que por otro lado se va carcomiendo a sí misma en su interior mediante la infiltración de elementos de raíz manierista: el resultado es esa escritura tan característicamente fisheriana, esa lógica del plano fijo autodestruida, entre otras cosas, por los «decorados tridimensionales, de caserones, palacios y castillos llenos de esquinas y recovecos por los que en cualquier momento puede manifestarse el horror [...]; el regusto por el detalle morboso [...]; la localización del horror en sótanos, criptas y azoteas; la fuerza imaginera de trajes y vestidos; y, sobre todo, el protagonismo de la sexualidad, hasta entonces ausente en el cine de terror» (VV.AA., 1991, pág. 46).

La primera muestra absolutamente acabada de esta poética y de este estilo es *La maldición de Frankenstein* –a la que seguirán cuatro filmes más sobre el mismo personaje–, pero su poder de explicitud es complementario del que ostenta la revisitación de otro mito que Fisher emprendería al año siguiente –*Drácula* (Horror of Dracula, 1958) y sus dos «secuelas»–, de modo que el discurso fisheriano acaba tomando ambas series como pilares básicos para su desarrollo.

Para empezar, *La maldición de Frankenstein* sienta los fundamentos de los contradictorios sentimientos del realizador hacia su material, y lo hace enfrentándose abiertamente con la tradición fílmica. Al contrario que en la versión de James Whale, aquí el monstruo no representa el inconsciente del doctor, su otro yo, sino que es simplemente su creación, una estrategia inicial que –teniendo en cuenta la sensación de repugnancia que provoca su figura y el patetismo que rezuma la interpretación de Christopher Lee– acaba subrayando el carácter «maldito» del doctor Victor Frankenstein (Peter Cushing) –puesto que se trata de un creador que no logra jamás plasmar adecuadamente su creación– y dando a entender, como consecuencia, que todo anhelo humano más allá de los límites de lo social está condenado al fracaso.

En este sentido, Frankenstein está contemplado como un producto de su clase social –su orgullo, el hecho de servirse de los débiles para su propio beneficio, como ocurre con la criada Justine o su propia criatura, etc.– que, paradójicamente, se rebela contra ella sin saberlo, puesto que su ansia inconsciente de equipararse con Dios corre pareja a su insistencia en asegurar que en realidad él no está haciendo nada deshonesto: «Sólo he robado un cuerpo, ¿acaso no lo hacen todos los médicos?», «No lo he mutilado [al científico-sabio], sólo le he quitado el cerebro», etc.

Paralelamente, el entorno del barón exhibe otro tipo de degradación: Elizabeth (Hazel Court) quiere casarse con él sólo para pagar una deuda social –el doctor ayudó a ella y a su tía cuando no poseían ningún tipo de apoyo económico–, y su amigo del alma Paul (Robert Urquhart) acaba enfrentándose a él –en parte– porque también quiere a Elizabeth. Así, el sexo en su clave social –el deseo «prohibido» que siente Paul hacia Elizabeth; las relaciones clandestinas entre Victor y Justine– ya desempeña aquí un papel importante –aunque no tan explícito como en las películas posteriores de Fisher–, de modo que, finalmente, tratamiento del sexo y comentario social acaban uniéndose: el barón no es en absoluto un hipócrita, sino alguien que desea ser fiel a su clase social y a la vez a sus anhelos e instintos, las dos caras de sí mismo y de su entorno.

De esta manera, y por primera vez –de ahí el carácter revolucionario del filme–, el inconsciente reprimido ya no se refleja en la figura del monstruo o del anormal, siempre alejado de la sociedad, sino que se presenta en el interior de la misma «normalidad» psicológica y social, en la propia persona del protagonista: la tensión resultante –entre la regla y su transgresión– es a la vez la expresión de un conflicto básico, el que lucha por la conservación de unas normas vigentes y simultáneamente busca su destrucción, todo ello expresado en el filme tanto en el nivel ideológico como en el formal.

Esta intrigante paradoja resurge con mayor fuerza en la trilogía dedicada a la figura de Drácula (véase PIRIE, 1977), en mi opinión la cumbre de la obra de Fisher y su discurso más acabado sobre el tema.[2] Las tensiones encerradas en el personaje de Frankenstein se despliegan ahora en una oferta mucho más variada, aunque en el fondo idéntica, y el análisis se hace a la vez más sugerente y más racional.

Drácula, el primero de esos filmes, se dedica a presentar claramente a los contendientes. Por un lado, el vampiro, el elegante y estilizado conde Drácula (Christopher Lee), no un «doble» de la sociedad burguesa, no el representante de su maldad inconsciente –como sucedía en el clásico de Tod Browning–, sino un elemento claramente subversivo, el mal liberado que ya ha adquirido una encarnación propia y se enfrenta abiertamente a sus creadores. En el otro lado, Van Helsing, el caballero, el puritano, el guardián de la moral, el representante, en fin, de un cuerpo social en descomposición, una burguesía atrincherada en su hueco formalismo y a la vez tentada por la transgresión –sobre todo sexual, pero también social– que le ofrece el vampiro.

El combate que se desarrolla a partir de estas premisas –en breve: Drácula invade la tranquilidad de una familia típicamente burguesa y acaba enfrentándose a Van Helsing– pone al descubierto las frustraciones y las represiones de todo un grupo

2. Y eso que Fisher, en este periodo, abordó prácticamente todos los mitos importantes del cine de terror, de *La momia* (The mummy, 1959), a *El fantasma de la Opera* (The phantom of the opera, 1962), pasando por *Las dos caras del doctor Jekyll* (The two faces of Dr. Jekyll, 1960) y *The curse of the werewolf* (1961).

social, pero no en el sentido en que lo hacía Lugosi en el filme de Browning, sino desde una perspectiva mucho más literal, pues más que de un desdoblamiento se trata de un verdadero enfrentamiento, con la clase burguesa defendiéndose y parapetándose tras su propio orden cuadriculado, tras sus símbolos religiosos –el crucifijo–, y a la vez intentando impedir cualquier tipo de «fuga» por los resquicios de su decadencia.[3]

Desde este punto de vista, si *La maldición de Frankenstein* reflejaba la esquizofrenia social limitándose a la figura del doctor –deseos de absoluto/defensa de las apariencias–, aquí el conflicto se desdobla, sí, pero sobre todo utiliza la figura de Van Helsing para poder reflejar toda su complejidad, para convertirlo en representante de un orden social que, a través de su enfrentamiento con Drácula, se muestra realmente tal y como es. En efecto, Van Helsing es un ser obsesivo, decidido a todo, solitario, de aspecto fúnebre, que confiesa haber dedicado toda su vida a estudiar el vampirismo y cuya única misión consiste en eliminar el sexo transgresivo, en interrumpir el coito prolongado que supone el ritual vampírico.

De ahí que su verdadera misión sea en realidad proteger a un grupo social que se encuentra en peligro no porque sus creencias se vean amenazadas por fuerzas hipotéticamente infernales –motivo aparente del conflicto: la religiosidad contra el Mal–, sino porque sus elementos más importantes y activos, la salvaguarda de su continuidad –las mujeres–, parecen desear escapar de una serie de normas que ya empiezan a parecerles agobiantes,

3. Curiosamente, el tema de la decadencia de la clase dirigente enmarcado en el mito del vampirismo es también la apuesta de un filme mexicano realizado un año antes que el de Fisher. En efecto, en *El vampiro*, de Fernando Méndez (1957), el móvil del vampirismo no parece ser únicamente sexual sino también una cuestión de poder, una lucha entre el pasado y el presente, con el vampirismo como fuerza «progresista» –los vampiros del filme quieren vender el caserón familiar, es decir, el núcleo de la decadencia burguesa– y la «normalidad» anclada neuróticamente en el pasado, en una casa llena de polvo y telarañas a la que se aferra desesperadamente.

es decir, parecen sentir una especie de atracción animal por el tipo de sexualidad que les propone el vampiro.

Así pues, el final del filme –mientras la esposa «infiel» se reconcilia con su marido, Van Helsing permanece marginado de esa «felicidad» en el interior del castillo, tras haber acabado con Drácula– puede tener un doble significado: por una parte, Van Helsing entendido como prototipo del héroe solitario y obsesivo, que ya no debe interferir en el proceso de reconstitución de esa sociedad que está destinado a defender; y, por otra, Van Helsing como el elemento culpable, el chivo expiatorio de una clase social de la que él se ha visto obligado a mostrar –para defenderla– sus debilidades, la ponzoña que la corrompe –el deseo femenino reprimido por un universo machista–, el indecoroso comportamiento de sus hembras, que se han entregado al vampiro con evidente placer: Lucy, dejando abierta la ventana para que pudiera entrar; Mina, regresando de su escaramuza nocturna con expresión satisfecha.

Es aquí donde el personaje de Van Helsing conecta indefectiblemente con el del doctor Frankenstein, paralelismo subrayado por el hecho de que ambos estén interpretados por el mismo actor. En efecto, la esquizofrenia de Frankenstein adquiere en *Drácula* una mostración mucho más plural, dividida entre la sexualidad exacerbada y transgresora del propio conde, la evidente paranoia de Van Helsing y la enfermiza inhibición sexual de la familia burguesa, pero en el fondo el propio cazador de vampiros resume también en sí mismo el conflicto básico del periodo: su misión defensiva y heroica con respecto a la clase social a la que pertenece, es decir, su anhelo de absoluto, acaba desdoblándose convenientemente en una actitud de fascinación hacia el mal que combate, de modo que –tras haber abierto la caja de Pandora– debe aplicar también a sí mismo y a sus convicciones sus propias armas defensivas; debe, como el barón, saber guardar las apariencias, adoptar ese aire indiferente y obsesivo que en el fondo esconde un turbulento mar de pasiones.

Se trata de una posible interpretación que, levemente apuntada en *Drácula,* alcanza todo su esplendor en *Las novias de Drácula* (The brides of Dracula, 1960), una de las mejores películas de Fisher y, sin lugar a dudas, la más compleja y agresiva. En ella, el discurso sobre el sexo es más explícito que nunca: a los ojos de la sociedad burguesa, el barón Meinster (David Peel) es un monstruo simplemente porque su capacidad sexual parece infinita y además no se detiene ante nada. En efecto: no sólo «vampiriza» a todas las muchachas que encuentra en su camino, sino que se atreve incluso a practicar un sangriento incesto en *off* con su propia madre, la más sugerente identificación entre vampirismo y perversión sexual que haya ofrecido jamás el cine.

No es esto lo más revolucionario del filme, sin embargo, sino el tratamiento de la figura de Van Helsing (de nuevo, claro está, Peter Cushing), que adquiere aquí toda su ambigüedad moral y sexual. En efecto, el personaje presenta en este sentido dos vertientes: por un lado, su relación con Meinster culmina cuando el vampiro acaba mordiéndole en el cuello, en una sublimación simbólica de la atracción homosexual que se insinúa durante todo el filme; y por otro, los sentimientos de deseo que experimenta hacia Marianne, la protagonista femenina, hacen que su enfrentamiento final con el propio Meinster –que también la «pretende»– adquiera igualmente connotaciones de oposición frontal por motivos sexuales.

Así pues, entre la homosexualidad sugerida y la obsesión erótica por el sexo opuesto, la figura de Van Helsing personifica la representación de una clase social que se desmorona física y moralmente, y la mencionada escena final, en la que Meinster muerde en el cuello al cazador de vampiros, es la metáfora perfecta de esta situación: se trata de una lucha entablada entre la atracción y el rechazo, entre la fascinación homosexual por el avieso barón y la necesidad de eliminarlo para poder conseguir a la chica, sí, pero también entre el poder hipnótico del mal y la desesperada actitud de defensa que el personaje debe adoptar ante él, con lo que de nuevo el conflicto del filme se enraiza básicamente en la confrontación entre un cierto grupo social y sus propios fantasmas, sus deseos reprimidos, que intentan alcanzar su núcleo, provocando con ello las consiguientes dudas y vacilaciones en el elemento atacado.

Lo mejor de la película, sin embargo, no es esta nueva exposición del esquema fisheriano, sino el hecho de que toda esta efervescencia erótica tenga lugar en decorados simbólicos de la sociedad que la alberga: el castillo que esconde una aristocracia en decadencia –Meinster y su madre–, por la que el propio Fisher parece experimentar un ambiguo sentimiento de atracción-repulsión (véase, sobre todo, el personaje de la baronesa); o el colegio al que va a trabajar Marianne, en el que tras una inmaculada apariencia de pureza se esconden ciertas tensiones sexuales ocultas (lesbianismo/represión: Gina, una profesora aparentemente modosa, se entrega al barón en la primera ocasión que se le presenta)...

Se trata de una utilización del decorado en la que el color y el encuadre desempeñan los papeles principales, en un enfrentamiento abierto que recuerda al de los personajes de la película: un cromatismo pasional, encendido, de colores vivos e intensos –véase el castillo de Meinster, sobre todo– confrontado a una puesta en escena estática, compuesta básicamente a partir de planos fijos, en la que la violencia se manifiesta sobre todo a través del movimiento y la apariencia de los personajes, como ocurre principalmente en la academia femenina.

De esta manera, la mezcla de ambas estrategias da lugar a una desbordada tensión formal, a un dinamismo interno que sólo accede al exterior, en toda su plenitud, en la escena final que transcurre en el viejo molino, donde decorado, vestuario, objetos, color y planificación parecen retorcerse y deformarse mutuamente en una sucesión incontrolada de símbolos y sugerencias, de metáforas y agresiones visuales que culminan en una de las imágenes más complejas e intensas del cine de Fisher: el vampiro fulminado por la sombra de las aspas del molino, que forman una ominosa cruz sobre su elegante figura.

Fisher sitúa así al espectador en el ojo del huracán de un estilo en el fondo tempestuoso y agitado que intenta reflejar a su vez las turbulentas mareas que recorren los subterráneos del filme: mientras la aristocracia –explorada aquí con mucha mayor dedicación que en *Drácula*– se identifica con la sexualidad pervertida, la burguesía lo hace, aparentemente, con la represión de esa actividad sexual. Se trata, pues, de un retrato social coherente, puesto que aristocracia y burguesía son las dos caras de una clase dirigente en proceso de transformación, la del siglo XIX, que muestra aquí todas sus tensiones y desgarros. Y Van Helsing acaba siendo el responsable de que esas transformaciones se lleven a cabo: aniquila a la aristocracia –que ha quedado ya caduca– en favor del saber burgués –su ciencia antivampírica– para al final acabar abrazando literalmente a la ascendente clase media... Toda una metáfora del cambio social digna del Visconti de *El Gatopardo* (Il Gattopardo, 1963), incluido el análisis de la putrefacción interna de los estratos implicados.

Tercera vuelta de tuerca a la implacable disección de los deseos dormidos y la insólita agresividad de la burguesía iniciada con *Drácula,* la última parte de la trilogía, *Drácula, príncipe de las tinieblas,* es también la película que clausura, no sólo la parte más rica y creativa de la filmografía de Fisher, sino también el periodo manierista en su totalidad.[4]

Centrado ya abiertamente en el tema del enfrentamiento y la defensa, el filme parece basado todo él en estructuras dobles. Para empezar, presenta dos partes bien diferenciadas: la prime-

4. La carrera de Fisher se extenderá hasta 1973, incluyendo algún título más que notable (véase el capítulo VIII), pero la descomposición de su estilo adquirirá tintes casi apocalípticos: no hay más que ver las dos últimas entregas de la serie sobre Frankenstein, atrapadas entre una puesta en escena ya absolutamente glacial y algunos elementos iconográficos o retóricos, más que manieristas, procedentes del «modernismo» formal y conceptual propio de un cierto cine de los 60 y 70, ya sea los molestos *zooms* de ambos filmes, la criatura femenina de *Frankenstein created woman* (1966) o el horror visceral de *Frankenstein and the monster from hell* (1973), su última película.

ra, lenta, envolvente, ceremoniosa, amenazadora por los horrores que sugiere, transcurre casi íntegramente en el castillo de Drácula (otra vez Christopher Lee) y está dedicada a plasmar la relación existente entre los cuatro integrantes de dos matrimonios (o la burguesía de la Inglaterra victoriana de paseo por los Cárpatos); la segunda, tras la muerte de uno de ellos y la vampirización de otro (una mujer, Helen: Barbara Shelley), es mucho más dinámica, casi frenética y muy violenta.

De la misma manera, los personajes principales acaban siendo también dos: en principio, la propia Helen, una dama temerosa y remilgada que, al contacto con el vampiro, se volverá agresiva y sensual; y luego, el padre Sandor (Andrew Keir), una especie de doble atípico de Van Helsing, un neurótico que, al principio, en la escena de la posada, declara su debilidad por los placeres terrenales –en esa ocasión, el vino y calentarse el trasero al lado del fuego–, y después ejecuta una especie de violación con estaca en la persona de Helen, mientras otros sacerdotes la sujetan sobre una mesa.

Así pues, estas dos construcciones duales resultan ser la representación metafórica de la clase social reflejada en el filme. La primera, las dos partes de la película, sugiere la turbulencia –la segunda parte– que se esconde tras la placidez –la primera–, y la segunda, el doble protagonismo, se encarga de subrayar la idea materializando las dos caras de la clase y la moral dirigentes, es decir, la represión sexual que se manifiesta tanto en el miedo irracional a todo lo exterior que experimenta Helen, como en el racionalismo exacerbado y enfermizo que –como ocurría con Van Helsing– anida en la mente del sacerdote.

En este sentido, el personaje de Drácula adquiere connotaciones simbólicas mucho más evidentes que nunca, pues es a la vez quien despierta los instintos dormidos de Helen –y también de su hermana Diana, que está a punto de lamer la sangre que él mismo hace brotar de su pecho: una bonita y atrevida metáfora de la *fellatio*– y quien, precisamente con ello, provoca la intervención de la propia burguesía (Charles –Francis Matthews–, el marido de Diana) y de la Iglesia (Sandor), que le deparan al alimón una muerte especialmente sádica.

Se trata así de una materialización del Mal que provoca una actitud de autodefensa por parte de la moral dominante al sacar a la superficie todos sus anhelos ocultos, desde la sexualidad hasta el sadismo pasando por la violencia represora, con lo que ese mal al que representa acaba caracterizándose en un sentido casi dialéctico: no es hasta su toma de contacto con su aparente opuesto –el Bien de la doctrina burguesa: el amor conyugal, el amor divino, etc.– que revela su verdadera faz, su condición de reflejo deformado de las inhibiciones sociales. De este modo, la actitud de defensa por parte del *establishment* es a la vez una defensa contra sí mismo, contra sus propios demonios y fantasmas ocultos, ya no proyectados –como en el periodo clásico–, sino *independizados* en un ente agresor doblemente monstruoso: a la condición humana el mal se le escapa de las manos.

La ambivalencia fisheriana con respecto a todo esto es evidente: su puesta en escena ya delata un horror innato a ir más allá, a superar el manierismo cromático mediante la liberación de la cámara o de la sintaxis fílmica, pero la fascinante indefinición de su discurso es la que acaba marcando los límites, atrapándolo entre el ansia de transgresión y la autorrepresión casi masoquista, entre la entrega y la defensa, exactamente igual que el Van Helsing de *Las novias de Drácula* o la Helen de *Drácula, príncipe de las tinieblas,* convirtiendo así al autor más representativo del periodo en uno de los más atormentados de la historia del género.[5]

5. Otras dos grandes películas de Fisher, *El perro de Baskerville* (The Hound of the Baskerville, 1959) y *The Gorgon* (1963), podrían citarse como la ilustración perfecta de esta tensión: en la primera, la tajante separación entre la burguesía (la mansión) y el proletariado (el páramo) es tanto una representación perfecta del miedo burgués al exterior, como una aceptación inconsciente de ese mismo miedo; en la segunda, por su parte, la evidente celebración de la liberación de las pasiones amorosas, conduce inevitablemente al convencimiento de

7.3. Surgidas casi al mismo tiempo que las de Fisher, las incursiones en el código terrorífico de Roger Corman presentan, a primera vista, los mismos temas mayores: la decadencia de las clases privilegiadas y el horror que se oculta en las entrañas de este proceso. Sin embargo, su desarrollo fílmico es algo distinto, puesto que en ellas el mal no se concreta ya en ninguna figura demoníaca –como en el puritano Fisher, que en el fondo necesitaba la imagen, el icono del monstruo para, de algún modo, estigmatizar todo lo que representaba–, sino que pulula *explícitamente* en las inmediaciones del ser humano, absolutamente independizado en algo *insustancial,* en la amenaza de la locura, un proceso básico para el cine de terror que tiene su punto culminante en la introducción de la figura del psicópata por parte de Alfred Hitchcock y Michael Powell (véase 7.4).

Todo ello –absolutamente visible y evidente en los nueve filmes, basados en cuentos y poemas de Edgard Allan Poe, que Corman rodó entre 1960 y 1964– tiene una materialización psicológica aún más pura y esquemática: frente a una representación abstracta de las fuerzas del mal –convertidas final y literalmente en neurosis de los propios protagonistas–, los medios defensivos de los personajes se debilitan, empequeñecen ante la intangibilidad del enemigo, de manera que su atrincheramiento resulta a la vez desesperado e inútil, conmovedoramente condenado al fracaso.

En efecto, las tres primeras películas de la serie, que resultan ser igualmente las más acabadas e interesantes, repiten obsesivamente los elementos que también formarán parte, de un modo u otro, de todas las restantes. En *El hundimiento de la casa Usher* (House of Usher, 1960), se produce un enfrentamiento entre la enfermiza obsesión de Roderick Usher (Vincent Price),

---

que ésta sólo puede traer consigo la aparición de la monstruosidad. El lugar de Fisher, quizá, debería fijarse en la mansión señorial de los Baskerville: contemplando fascinado el despliegue del mal en el páramo, pero a la vez sintiéndose totalmente a salvo de su influencia.

el dueño de la decadente mansión del mismo nombre, y el ingenuo racionalismo de Philip Winthrop (Mark Damon), el muchacho que penetra en ese universo enrarecido para casarse con la hermana del primero, la bella Madeleine (Myrna Fahey). En *El péndulo de la muerte* (Pit and the pendulum, 1961), el castillo de un antiguo inquisidor español se convierte en el centro geométrico de una intriga basada en la muerte de la hermana de otro elemento extraño a la mansión, el joven Francis Barnard (John Kerr). Y en *La obsesión* (Premature burial, 1961), la morbosa atracción hacia el más allá del protagonista, Guy Carrell (Ray Milland), debe situarse en el marco de un complot urdido por su propia esposa para heredar todos sus bienes.

Así pues, decadencia y muerte, fantasía y racionalismo, son, como en los filmes de Fisher, los fundamentos ideológicos del relato. Pero aquí los desplazamientos son mucho menos ambiguos. Para empezar, los tres filmes presentan un terreno de juego desusadamente sobrio: la mansión como decorado, una cierta clase social como protagonista, la locura progresiva como tema. Y a partir de ahí, la progresión es mínima, puesto que Corman rehuye cuidadosamente el efecto de fascinación que ejercía el mal en las películas de Fisher mediante la utilización de dos estrategias paralelas: primero, el uso de la personificación del racionalismo como simple testigo –en realidad, como trasunto del espectador– que casi ni siquiera interviene en la trama (es el ojo que desencadena los acontecimientos, como el público para el que se proyecta el filme); y segundo, la intensificación de los rasgos más desagradables de los protagonistas, que, por ejemplo, lleva a la conversión del sexo en algo casi repugnante, muy lejos de la exuberancia del Drácula fisheriano.

De esta manera, el espectáculo ofrecido al espectador por los filmes de Corman es simplemente el de una progresiva debilitación del impulso defensivo de la clase dirigente, sumergida ya para siempre en su propia putrefacción, en la perversión sexual y la muerte, encerrada en castillos o mansiones mientras todo su mundo circundante se va desmoronando: como consecuencia, el impulso racionalista –cuya sublimación más purista podría ser la obsesión antivampírica de Van Helsing– se reduce al papel de *voyeur*, situado además en el exterior de los límites de clase, mientras que el mal empieza a minar las defensas de la humanidad cebándose en sus elementos más vulnerables (las facultades mentales de una clase social en descomposición).

Más aún que en *El hundimiento de la casa Usher* o *El péndulo de la muerte*, es en *La obsesión* donde Corman logra plasmar todo este discurso ya sin vacilaciones ni fisuras, a pesar del insatisfactorio final. En esta pequeña obra maestra, la clase burguesa es descrita en relación a tres características claramente regresivas: un caserón solitario y abandonado (decadencia social), una supuesta enfermedad hereditaria, en este caso la catalepsia (decadencia física), y la obsesión por la muerte materializada en el miedo al entierro en vida (decadencia psicológica), todo ello centrado en la persona de Guy Carrell, el último vástago de una familia de noble ascendencia. Y en el exterior de este entramado, sumida en la impotencia, la representación del racionalismo (el médico), que ha pasado de la acción –recuérdese, una vez más, a Van Helsing, también «doctor»– a la infructuosa reflexión, al patético intento de explicación de unos hechos que se le escapan.

Dejando aparte la burda explicación final del filme –la esposa de Guy ha urdido toda la intriga para que su marido sufriera un ataque–, lo que importa realmente es, por una parte, la conversión del mal en un elemento intangible, irreversible, inexpugnable –la «obsesión» del título español, producto de un pasado corrupto (la herencia) y un presente centrado en una vida parasitaria, estancada, alrededor de distintos motivos morbosos (el caserón, las criptas, etc.)–, y, por otra, la reducción de las posibilidades defensivas de los protagonistas hasta un nivel prácticamente nulo, o por lo menos inoperante, simbolizado en el encierro, el aislamiento del mundo, que a su vez coincidirá con el avance del mal hacia posiciones más cercanas a la mente de los protagonistas: una defensa pasiva contra un enemigo invisible que acabará conduciendo –aunque paradójicamente éste no sea el caso de *La obsesión*– a la autodestrucción personal y a la autoaniquilación de clase.

Como consecuencia lógica, y coincidiendo con la liberación casi etérea de las representaciones del mal, la puesta en escena de Corman abandona el cartesianismo aparente de Fisher para elaborar estructuras formales mucho más violentas, ya sin la racionalización represora a que las sometía el director inglés. La planificación se hace más sincopada, con una gran acumulación de movimientos de cámara, a veces envolventes, a veces casi alucinados. El color, por su parte, adquiere una insólita capacidad agresiva, mucho mayor aún que en Fisher, erigiéndose así en referencia formal de todo el filme, en cualquiera de sus aspectos. E incluso la interpretación de los actores se abandona a un controlado histrionismo que ya nada tiene que ver con la contención de un Peter Cushing.

De esta manera, el dinamismo manierista implícito en Fisher se convierte aquí en una opción física, visceral, arrebatada, que ya no se expresa a través de la confrontación entre el decorado y la planificación, sino mediante una textura desquiciada, violentamente irreal: un manierismo del color, de la panorámica y del *travelling*, que culmina en la orgía visual de *Tomb of Ligeia* (1964) y en la explosión colorista de *La máscara de la muerte roja* (The mask of the red death, 1964), los dos últimos filmes del ciclo.

La evolución formal que conduce a ellos, sin embargo, no está basada en la progresiva sobriedad y la eliminación de impurezas, sino en el retorcimiento y la exageración de los recursos. La recargada concisión y la inventiva de las tres primeras películas –sólo enturbiadas por ciertas ilustraciones oníricas demasiado ligadas a la estética de la época– empiezan a declinar ya en *Historias de terror* (Tales of terror, 1962) –donde la introducción de la comedia, en el segundo episodio («El gato negro»), conduce a un forzamiento del código que desemboca en parodia, estrategia sobre la que se basará enteramente *El cuervo* (The raven, 1963)– y, sobre todo, en *The terror* (1963) –una absoluta banalización de los esquemas discursivos y formales de la trilogía inicial, torpemente subvertidos por el absurdo más desaforado y cínico–,[6] pero no alcanzan la cumbre de la gratuidad hasta que Corman intenta regresar de nuevo a la vertiente más analítica de su serie.

Es entonces cuando pretende sublimar el estilo de los primeros filmes, no ya en el sentido paródico ni en el absurdo, sino en un sentido estético y discursivo a la vez. Así, mientras *Tomb of Ligeia* lleva a su máxima expresión los elementos típicos de los primeros filmes –mansión, racionalismo pasivo, obsesión...–, *La máscara de la muerte roja* se recrea en una «purificación» del discurso, en un subrayado inútil de sus propuestas ideológicas y genéricas, quedando así ambos filmes reducidos a la esclerosis y al mecanicismo, a la esterilidad creativa y a la repetición formal.

En *Tomb of Ligeia*, por ejemplo, no sólo la cámara resulta extremadamente móvil y dinámica –como si Corman estuviera deseoso de insistir en ciertas habilidades suyas que todo el mundo había ya captado–, sino que incluso la construcción del relato –que gira indefinidamente alrededor de los mismos motivos y temas, sin aportar progresión alguna, ni siquiera en su final– resulta alambicada y retorcida, dando más y más vueltas a su propio alrededor en una evolución que se revela estéril desde el principio, lo mismo que los *travellings* y panorámicas de Corman.

Un ansia de divulgación, de popularización de los logros anteriores que en *La máscara de la muerte roja* ya no encontrará

6. Quizá no haya que echarle toda la culpa a Corman: algunas fuentes afirman que la película fue rodada solamente en un fin de semana y que su dirección fue compartida por Monte Hellman, Francis Coppola, Jack Nicholson –que además incorpora al protagonista– y el propio Corman, toda una reunión de talentos para la confección de un divertimento a todas luces impresentable.

freno alguno, intentando entonces vulgarizar lo intelectual –puesta en escena más clásicamente narrativa– e intelectualizar lo vulgar –referencias a Bergman, utilización del color–, en un ensayo que se queda a medio camino de todo y abre a la vez muchos senderos que Corman ya no tuvo oportunidad de explorar.

Se trata de un triste final que aclara de una vez por todas el misterioso papel desempeñado por Roger Corman en la historia del cine de terror: quien tuvo la intuición de la necesidad de una renovación discursiva y formal que, en los estrechos márgenes del cine «independiente» americano, pudiera ir más allá de lo que paralelamente estaban proponiendo Fisher y la Hammer, no supo luego trabajar sus hallazgos hasta llegar a convertirlos en una poética sólida y personal. Sólo el cine posterior, como se verá, aprovechó la ocasión de hacer germinar sus semillas.

7.4. La inestabilidad de las manifestaciones manieristas –es decir, su carencia de una unidad totalizadora, tal como ocurría con el clasicismo–, acaba de plasmarse definitivamente en las dos tendencias más marginales del periodo, aquellas que surgen de los límites mismos de la representación terrorífica: el producto de género –en apariencia– estrictamente popular, que ni siquiera parte de una tradición codificada en su país de origen (en este caso, Italia), y la sublimación del filme de autor, aquel planteado desde el principio –aunque muchas apariencias parezcan afirmar lo contrario– como expresión de un mundo personal e intransferible.

El primer modelo, lo que muchos denominan «la escuela italiana del terror» (LATORRE, 1987, págs. 331-336) utiliza principalmente una estrategia básica: partir de los estilemas más evidentes del género para llegar a conclusiones casi vanguardistas, sobre todo en el terreno de la forma. El segundo –un paralelismo lógico de la evolución de autores como Fisher o Corman– establece de entrada un discurso autónomo, personalizado, del que acaba emanando una configuración totalizadora eminentemente revolucionaria. Así pues, el conjunto ofrece el enfrentamiento entre lo que se podría llamar un manierismo de la expresión y lo que sin duda es un manierismo del concepto, tomadas ambas nociones simplemente como los puntos de partida de sus respectivas fuentes, independientemente de evoluciones posteriores.

En lo que respecta a los italianos, es Mario Bava quien lleva sus propuestas a sus últimas consecuencias,[7] sobre todo en una trilogía a menudo míticamente sobrevalorada pero sin duda interesante: aquella que forman *La máscara del demonio* (La maschera del demonio, 1960), *Las tres caras del miedo* (I tre volti della paura, 1963), y *Seis mujeres para el asesino* (Sei donne per l'assassino, 1964).[8]

El primero de esos filmes constituye una explosión de manierismo formal mucho más arriesgado que cualquier trabajo de Fisher o Corman, aunque las propuestas apuntadas no estén llevadas hasta sus últimas consecuencias. Mientras Fisher trabaja el contenido del plano en relación con los decorados –alteración pictórica del espacio– y Corman empieza a experimentar con la cámara a través de insólitas panorámicas –alteración dinámica del tiempo–, Bava recurre a una puesta en escena ritual, envolvente, llena de larguísimos *travellings* que desvirtúan y amplían el espacio, y basada en una concepción del montaje paralelo que deforma y ensancha el tiempo –por ejem-

7. Aunque habría que citar también, por lo menos, a Riccardo Freda, autor de filmes tan curiosos como *I vampiri* (1956) o *L'orrible segreto del dottore Hichcock* (1963).

8. La filmografía de Bava presenta otros muchos filmes de terror –desde *Cinco muñecas para la luna de agosto* (Cinque bambole per la luna d'agosto, 1969) hasta *El diablo se lleva a los muertos* (La casa dell'esorcismo, 1973), pasando por *Un hacha para la luna de miel* (Il rosso segno de la follia, 1969) y *Bahía de sangre* (L'ecologia del delitto, 1971)–, pero todos ellos escapan ya a su tendencia manierista para entrar de lleno en una dolorosa decadencia del género que no merece ni siquiera el análisis. En cuanto al más prestigioso de todos ellos –*La frustra e il corpo* (1963)–, el lector sabrá disculpar la incompetencia de quien escribe estas líneas: no lo ha visto jamás.

plo: la secuencia en la que, mientras el profesor fuma al lado del lago y la hija de la posadera ordeña la vaca, el amante de la bruja muerta resucita y se aparece al príncipe en el castillo–, de modo que espacio y tiempo acaban «alargándose», adquiriendo una apariencia irreal, fantasmal, que dinamita ya cualquier vestigio de clasicismo en la puesta en escena.[9]

En este sentido, la introducción del color en *Las tres caras del miedo* y *Seis mujeres para el asesino* otorga a ese estilo una acusada densidad manierista, retorcidamente espectral, que transforma rostros y decorados en una especie de pesadilla cromática: una deformación más que añadir a las del espacio y el tiempo operadas ya en *La máscara del demonio,* y que acaba impidiendo que el espectador pueda procurarse puntos de referencia fijos, de manera que casi nunca sabe a ciencia cierta –por lo menos en los primeros segundos de cada escena– dónde se encuentra, en qué momento sucede lo que está sucediendo y si lo que está contemplando es algo real o una simple elucubración onírica. Se trata, pues, y ya sin tapujos, de una estrategia eminentemente anticlasicista: privar al público de una identificación estructural con las formas que evolucionan en la pantalla, ya absolutamente entregadas al dominio de la línea y la movilidad más caóticas.

Esta especie de nihilismo manierista del continente se corresponde a la perfección con el nihilismo ideológico del contenido. Porque si *La máscara del demonio* parece explotar los mismos temas con los que Corman estaba empezando a experimentar al otro lado del Atlántico –la aristocracia-burguesía en decadencia, la mansión fantasmagórica, la herencia del mal...–, los dos filmes siguientes van más allá y ratifican ciertas intuiciones del primero, llevándolas a sus últimas consecuencias en el

9. Aunque la composición de algunas imágenes lleve a pensar lo contrario: de ahí la paradoja –mencionada al principio de este apartado– según la cual el (aparentemente) vulgar producto de género se transforma en propuesta casi vanguardista.

análisis de lo que se podría llamar el horror de las relaciones humanas. Como consecuencia, la conclusión de estas películas ratifica que el mal entendido como representación de la frustración humana está adquiriendo, como en Corman, una pregnancia absolutamente intangible, hasta el punto de que, por un lado, penetra ya en cualquier tipo de contacto entre seres humanos, y, por otro, impide la organización de una defensa eficaz, conduciendo a la confusión y al caos, con lo cual el círculo se cierra y los filmes regresan de nuevo a la base de su puesta en escena.

En este sentido –y más allá de los tres episodios, algo irregulares, de *Las tres caras del miedo*–, *Seis mujeres para el asesino* ofrece el planteamiento más inteligente de todas esas películas al renunciar a la opción del psicópata para la explicación de la trama, y reducir esta última a una malévola intriga entre personajes tan vacíos como perversos, cuyo emblema es una frívola casa de modas que parece situada en medio de ninguna parte, y cuyas relaciones parecen únicamente marcadas por la dependencia, el dolor y el chantaje: lógicamente, su estrategia se reduce entonces a las acusaciones mutuas y a la insolidaridad, de manera que su actitud defensiva adquiere un carácter individualista completamente ajeno a la obsesión clasista que recorría los filmes de Fisher –no hay más que ver el muestrario social de *Las tres caras del miedo:* una lesbiana, un convicto, una enfermera neurótica...– y un poco más cercano al enfermizo aislamiento de los protagonistas de Corman.

Esta tendencia al comentario apocalíptico sobre la naturaleza y las relaciones humanas es lo que –mucho más allá de la puesta en escena– acerca las propuestas de Bava a los planteamientos más atrevidos del periodo: los de autores como Georges Franju, Michael Powell o Alfred Hitchcock. En efecto, ni las opciones formales de *Los ojos sin rostro*, ni las de *El fotógrafo del pánico*, ni tampoco las de *Psicosis*, tienen demasiado que ver con el exuberante manierismo de *La máscara del demonio*, pongamos por caso, pero, en cambio, sus planteamientos discursivos sí presentan semejanzas reveladoras, aunque a primera vista pueda parecer todo lo contrario.

El tratamiento del mal, por ejemplo, parece dar un paso atrás: vuelve a encarnarse en personajes concretos –psicópatas, para más señas– que, aunque menos simbólicos y unidireccionales que el Drácula de Fisher –y ya no digamos que las abstractas proyecciones del clasicismo–, parecen igualmente concentrar en sí mismos toda la ponzoña que en Corman y Bava ya aparece disuelta en el ambiente. Pero el mecanismo no es tan sencillo: su funcionamiento es de una complejidad tal que sus sugerencias acaban siendo múltiples, a veces incluso aparentemente contrapuestas.

Veamos. Por una parte, esos personajes actúan como resumen discursivo del periodo al sembrar el caos más absoluto en su entorno, no sólo mediante la violencia física y el terror más inmediato –como sucederá con la mayoría de los psicópatas de los años 70 y 80 (véase los capítulos VIII y IX)–, sino sobre todo a través de la introducción de la duda, del cuestionamiento de la propia naturaleza humana, de manera que sus semejantes –los coprotagonistas– deben defenderse tanto de sus embestidas como del veneno moral que comportan. Y por otra, los filmes suponen un claro anticipo del periodo siguiente (véase el capítulo VIII), puesto que presentan personajes ya absolutamente rendidos al poder del mal, que ha sabido sortear sus defensas y penetrar en la fortaleza de su mente, lo cual actúa como espejo y atroz posibilidad para los demás figurantes.

De este modo, una película como *El fotógrafo del pánico* (véase, para Powell en general y este filme en particular, GUARNER, 1986) puede conectar perfectamente con, pongamos por caso, *Seis mujeres para el asesino,* no sólo al presentar parecidos planteamientos en lo referente a la estructura argumental, sino sobre todo al pintar un paisaje moral y humano casi idéntico: la virtual imposibilidad de la defensa frente a la dispersión del mal, frente a la confusión más absoluta.

Pero quizás el filme que mejor resume todo este entramado ideológico sea *Psicosis*, puesto que su protagonista, Norman Bates (Anthony Perkins), actúa constantemente como catalizador del caos que corroe a todos los demás personajes: no sólo se ofrece como espejo de la ruindad moral de Marion Crane (Janet Leigh), sino que además su depravada concepción de las relaciones familiares se erige a su vez en reflejo de todas las demás que pululan por el filme, llegando así a la conclusión de que su modelo no es más que la culminación lógica del modelo dominante. ¿Puede concebirse mayor confirmación de este aserto que el plano final de la película, ese coche que –como el inconsciente reprimido, como el caos primigenio– surge del pantano de los tiempos para ofrecerse como símbolo al exterior, aparentemente en calma? (véase WOOD, 1968, págs. 130-143).[10]

Esta noción del espejo, del reflejo, del doble maligno que constantemente acosa a los protagonistas de *Psicosis*, plantea la consecuencia inmediata de la imposibilidad de la defensa y del caos que asola las relaciones humanas: la reducción al silencio y la palabrería sin sentido y, como consecuencia, el protagonismo de la mirada.[11] En efecto, al igual que el espectador mira atentamente a sus dobles de la pantalla (véase el capítulo II), los personajes son también observados por sus propios congéneres, que –trátese o no de una actitud defensiva– convierten este acto escrutador en su razón de ser, ya reducida a la pasividad, frente a la confusión del universo exterior.

10. Hitchcock explotará el mismo planteamiento en *Los pájaros* (The birds, 1963), donde el caos ya ni siquiera parece tener origen o causa, disperso como está en los irracionales ataques de miles de aves.

11. Los protagonistas de estas películas siempre ocultan sus verdaderos sentimientos y recurren a la expresividad de sus miradas para dejar traslucir lo que realmente son o lo que han hecho. Sin necesidad de recurrir al ejemplo más evidente –el enmascarado rostro de Christiane en *Los ojos sin rostro*–, véase, por ejemplo, la conversación entre Anthony Perkins y Janet Leight en *Psicosis*, o todos los encuentros entre Carl Boehm y la chica en *El fotógrafo del pánico*.

Mientras en *Los ojos sin rostro* esa mirada es la pura mirada de la defensa, de la perplejidad frente al caos –la protagonista observándolo todo detrás de su máscara–, en *El fotógrafo del pánico* y *Psicosis* se trata de una mirada agresiva, incluso mortal –la de los dos psicópatas, caracterizados ambos por su pasión escoptofílica–: no importa la disidencia, porque en la gran confusión universal en que se ha convertido la condición humana los atacantes pueden pasar a la defensiva en cualquier momento y viceversa, es decir, el mal resulta ya ilocalizable, disfrazado como está para mejor penetrar en las defensas humanas. (No hay más que remitirse a otro de los planos finales de *Psicosis*, aquel en el que Norman Bates mira casi implorante a la cámara en su ya total desesperación: la mirada defensiva de un presunto agresor.)

En este sentido, *El fotógrafo del pánico* ofrece una inmejorable parábola sobre la condición de esa mirada y su carácter indistinto. El primer plano de la película es un primerísimo plano del ojo de Mark Lewis (Carl Boehm): desde ese momento, todo el filme estará bajo el signo de la mirada, es decir, en su caso, bajo el signo del cine, de modo que su juego consistirá en una doble estrategia de ataque-defensa entre el realizador, el espectador y el personaje.

Como el director, como el propio Powell, Lewis es también un cineasta, y su obsesión es rodar, filmar... filmar mujeres en el momento de asesinarlas. De este modo, se asocia explícitamente la escoptofilia y el sexo reprimido, pero también –y esto es lo más importante– se alude a la muerte asociada con la mirada, con el cine: la filmación supone la muerte, luego el cine es la muerte. La ciega, la madre de la heroína, es la única que puede escapar a eso precisamente por su carencia de mirada, la cual le otorga a la vez un sexto sentido para localizar el origen del mal.

Sin embargo, existe otro factor: el miedo. La mirada provoca el miedo, el cine provoca el miedo. A este respecto, hay un plano impresionante: al final, cuando Helen pone en marcha el proyector de Mark y ve aterrada las atroces películas que filma, Powell no recurre nunca al contraplano, sino que mantiene la cámara sobre el rostro de Helen y observa con verdadero sadismo sus reacciones de terror, hasta que ella corre y se topa con Mark. Así, en el fondo, Powell hace con su actriz lo mismo que Lewis con sus víctimas: el realizador de cine es un sádico, lo mismo que el mirón, el espectador, que luego contempla en la pantalla lo que el director ha filmado para él: de ahí que Powell filme los asesinatos desde un punto de vista subjetivo, para que la identificación del espectador sea total.

De esta manera, no sólo el protagonista, sino también el espectador y el realizador asumen posturas agresivas, sádicas, con lo cual el mal se generaliza y nadie está a salvo: el espectador debe defenderse de las continuas incitaciones a la violencia por parte del director, y éste tiene que procurar que su personaje no lo arrastre hacia la ignominia con sus actos. Incluso el propio protagonista se defiende del mundo exterior –que lo ha convertido en lo que es– por medio de una mirada interpuesta, la de la cámara: el caos es total, los papeles se confunden.

Desde esta perspectiva, y subrayada ya la importancia de la mirada del propio director, se puede decir que *Los ojos sin rostro* (véase SÁEZ, 1988) introduce lo que se podría denominar una *mirada defensiva,* no sólo la de la protagonista, oculta tras su máscara de un universo en descomposición –cuyo principal representante es su padre: la película narra los afanes de un médico por conseguir para su hija, cuyo rostro ha quedado desfigurado en un accidente, piel fresca procedente de muchachas a las que no duda en secuestrar y asesinar–, sino también la del mismísimo Franju, fría, desapasionada y descomprometida, pero igualmente creadora de monstruos.

Lejos del estilo exacerbado –de un modo u otro– de Fisher o Corman, e incluso de Hitchcock y Powell, Franju presenta una vocación realista que le acerca a Buñuel y a Lang en el sentido de extraer el mayor horror de los gestos menos ostentosamente horribles. La repugnancia que despierta la secuencia del injerto, por ejemplo, procede del *tempo* exasperantemente lento, de los gestos seguros y profesionales del doctor y del modo directo y natural con que se filma el momento en que se levanta la piel del rostro.

En este sentido, la puesta en escena, la mirada de Franju se permite entrar de lleno en la irrealidad por medio de la exacerbación de lo real, dando así lugar a las imágenes más turbadoras: no sólo la enigmática máscara de Christiane, sino también las ominosas filas de jaulas donde se encuentran los perros, el caserón a la vez plácidamente burgués e insoportablemente monstruoso, el rostro simultáneamente tranquilo y despiadado del doctor, la iluminación que parte del realismo para llegar a lo tétrico, etc. De ahí que esta película sobre la obligación de mirar –lo único que puede hacer Christiane–, vaya convirtiendo poco a poco la mirada en principio defensiva del autor en una mirada extremadamente cruel que también obliga al espectador, con un sadismo implacable y tranquilo, a observar de cerca la propia crueldad.

Se trata, pues, de un manierismo –el de Hitchcock, Powell y Franju– que no está relacionado con la sublimación desquiciada de las formas, sino con el predominio de la mirada del autor, ya sea identificada con la de los protagonistas, o fríamente aplicada desde el exterior. De ahí que, en lugar de «pervertir, evidenciar el canon clásico desde su mismo interior» (GONZÁLEZ REQUENA, 1986, pág. 46) a través del decorado o de los movimientos de cámara, o mejor, además de hacer eso, esta tendencia recurra también a una nueva concepción del relato en su integridad, del punto de vista adoptado para narrarlo: una vez superadas las estructuras clásicas, la perspectiva pierde también cualquier tipo de referencia, el espectador ya no tiene dónde agarrarse y la mirada *subjetiva* del autor es la que se encarga –por primera vez *enfrentada* a la escritura genérica– de crear, de organizar, de dar forma al fragmentario y doloroso mundo representado en la pantalla.[12]

12. Esta estrategia de la desestabilización adopta mecanismos distintos –aunque emparentables– en cada uno de esos tres autores: Hitchcock utiliza el montaje y la ruptura del punto de vista; Powell se entrega a la irrealidad cromática y a la confusión entre cine y realidad; y finalmente Franju parte de una actitud documental para acabar contaminándola mediante imágenes casi surrealistas. Los puntos de referencia iniciales del espectador, en cualquier caso, quedan absolutamente desbaratados.

VIII
EL MAL ESTÁ ENTRE NOSOTROS (1965-1977)

El agotamiento del modelo manierista, precipitado por la eclosión del concepto de autor –Hitchcock, Powell, Franju– y finalmente clausurado por la súbita inoperancia de ciertas fórmulas estéticas, de compromiso entre la creatividad individual y la supervivencia industrial –Fisher-Hammer, Corman-Poe–, pasa directamente al olvido a través de la conjunción de varios factores –sociopolíticos y estéticos, sobre todo– que hacen su fulminante aparición en la escena y la cinematografía mundiales mediada la década de los 60.

En principio, y en ese sentido, la elección de 1965 para señalar el inicio del periodo siguiente puede parecer un tanto arbitraria: ¿por qué 1965 y no 1968, por ejemplo, un año con mayores connotaciones en todos los niveles, como se verá después, e incluso con una producción, en el campo del género, que se revelará decisiva para la evolución posterior del cine de terror (y podría decirse, si no fuera demasiado arriesgado, que del cine en general)? Pues sencillamente porque en el año 1965 confluyen dos acontecimientos básicos para el funcionamiento del código, dos hechos casi contrapuestos que reflejan a la perfección el giro que da el género en esa época, mucho mejor aún que las obras maestras que se darán misteriosamente cita tres años después: por un lado, la despedida, por parte de Terence Fisher, del universo vampírico con *Drácula, príncipe de las tinieblas,* no sólo el fin y el resumen del manierismo (véase el capítulo VII), sino también la ratificación de su imposibilidad para ir más allá en el terreno de la industria, la proclamación de la imperiosa necesidad de un cambio; y, por otro, y aún más importante, la repentina materialización de ese cambio en un filme y un autor de influencia decisiva en el desarrollo posterior del género y del modo de representación institucional en general: *Repulsión* (Repulsion, 1965), de Roman Polanski.

En efecto, la revolución que propone Polanski es en apariencia muy sencilla: utilizar la escritura ya existente, exacerbada por el manierismo, para subvertirla desde dentro, es decir, para presentar, tras sus apariencias, otros discursos e incluso otras propuestas formales, absolutamente ajenas al modelo dominante –el sistema genérico hollywoodiense–, pero a la vez –y esto es lo más novedoso de la propuesta– aceptando ese modelo a efectos de un primer contacto con el público. En otras palabras, llevar a sus últimas consecuencias los medios utilizados por Hitchcock y Powell, pero proponiéndose los fines alcanzados por Franju, aunque sin su radicalismo con respecto al modelo genérico.

Se trata de una estrategia que irá evolucionando a lo largo del periodo, adaptándose a las necesidades de los distintos creadores, y que estallará definitivamente en una película –*El exorcista II: el hereje* (The exorcist II: The heretic, 1977)– bastante incomprendida y, sobre todo, absolutamente representativa de esta batalla ahora ya desquiciada entre el ansia de expresión personal y las estructuras industriales: una batalla que los manieristas habían conseguido zanjar mediante un inquietante *status quo* y que Polanski supo llevar suavemente a su terreno.

El itinerario que se desarrolla a lo largo de este periodo, pues, parece ser la historia de una extraña claudicación: o de cómo los anhelos vanguardistas de un principio van desorbitándose, chocando así frontalmente con los intereses estéticos de la escritura industrial, hasta llegar a la autoaniquilación, fruto de una imposible convivencia entre una presunta renovación radical del género y la desesperada lucha por la supervivencia de los discursos y formas tradicionales.

La aparición de *Repulsión,* de ese modo, es el resultado de una abigarrada mezcla de circunstancias. Por una parte, esta efervescencia estética que tiene como escenario los despojos del clasicismo es ni más ni menos que la conclusión lógica de un proceso que se había iniciado en el cine europeo a finales de la década anterior, catapultado por la aparición de la *nouvelle vague* y de los restantes nuevos cines. Por otra, tiene como precedente indudable los acontecimientos sociopolíticos que agitaron la sociedad de la época a partir de la contestación juvenil, la aparición del fenómeno *hippie,* la rebelión feminista y de las minorías raciales, y la reconsideración que se llevó a cabo, a partir de ello, con respecto al papel que debía desempeñar el arte en la sociedad.

Como resultado, el cine de género, y en concreto el cine de terror, ve asaltadas sus posiciones por una proclama casi incendiaria: hay que utilizar sus bases para aplicar los avances conseguidos en otros terrenos más marginales de modo que ello suponga un replanteamiento de la relación con el espectador, que de esta manera estará viendo igualmente un filme de género pero sin renunciar a metas más «elevadas».

Se trata, claro está, de una tendencia que puede adoptar multitud de máscaras –desde la casi invisible intelectualización de Polanski hasta la (a veces dudosa) trascendentalización aplicada a filmes como *El exorcista* (The exorcist, 1972) o *El otro* (The other, 1972)– pero que en el fondo persigue un único objetivo: utilizar el género como arma arrojadiza, como honesta vulgarización de hallazgos acaecidos en otros ámbitos –desde la teoría del arte a la ideología sociopolítica–, respetando siempre su autonomía como tal.

De esta manera, los mecanismos actuantes en este tipo de operaciones podrán utilizar, sí, las figuras retóricas y/o estilísticas del cine más renovador de la época –ruptura de la narración tradicional, distanciamiento y, sobre todo, el recurso a ciertas características propias del cine más independiente, consecuencia lógica del bajo presupuesto de muchos de estos filmes–[1], pero

1. Pero también de una opción estética: devolver el género a sus raíces, a la sencillez, la pureza y la concentrada esencialidad de los

también podrán presentar tendencias mucho más ampulosas, menos comprometidas con la renovación aunque aparentemente intenten arrostrar una raíz «culta»: véanse si no las pretensiones –más o menos logradas, ésa es otra cuestión– literarias y/o alegóricas presentes en filmes como, de nuevo, *El exorcista, Malpertuis* (Malpertuis, 1972) o *Amenaza en la sombra* (Don't look now, 1973).[2]

Todo este aparato formal, sin embargo, no se sustenta en el vacío, sino que es el producto de un estado de cosas muy concreto: en efecto, el malestar social, la contestación juvenil y obrera, la oposición a las formas culturales más tradicionales, crean una especie de inquietante fermento que empieza a oponerse frontalmente a la plácida apariencia de los años anteriores, de manera que es como si el veneno reprimido tras la rigidez y la intolerancia hubiera salido al exterior y estuviera penetrando en los fundamentos mismos del cuerpo social. Una situación, en definitiva, que hace imposible ya la defensa y anuncia una *invasión* en toda regla.

Desde este punto de vista, la liberación de las formas estéticas trae consigo la liberación de las fuerzas antisociales y antitradicionales –o viceversa–, una liberación, en todo caso, que a su vez culmina en la invasión del universo humano por parte de sus propios fantasmas personales y sociales. La ruptura de las formas clásicas, de este modo, el asalto de ciertas actitudes «vanguardistas», tiene mucho que ver en este periodo con el fenómeno colectivo de la escisión psicológica: unas estructuras tradicionales invadidas por elementos extraños, representantes de la «modernidad», de todo aquello que el reaccionario cuerpo

---

primitivos, intentando de este modo presentar el miedo de una manera física y directa, una desinhibición muy acorde con los tiempos (véanse, entre otros, Romero y Hooper).

2. Aquí la simplicidad se convierte en exhibicionismo: lejos de la sobriedad de los formatos pequeños y el bajo presupuesto, hacen su aparición la factura impecable, los decorados suntuosos, los maquillajes costosísimos, los omnipresentes efectos especiales...

social ha tendido siempre a despreciar y, como consecuencia, a temer. Por todo ello, y sin lugar a dudas, lo que los anglosajones llaman *modernism* tiende a presentar un doble sentido: por un lado, la definitiva superación del clasicismo, tras el abigarrado paréntesis manierista, y, por otro, el advenimiento de ciertas actitudes, ciertos estilos vitales, que tienen que ver con la ruptura de las normas establecidas, con el cambio de mecanismos morales ocurrido en el periodo en cuestión.

Como consecuencia, las relaciones, las conexiones entre el concepto de *invasión* y el de *modernismo* [3] no están tan ocultas como podría parecer: la ideología conservadora y retrógrada de la burguesía dominante –cuya moral establece siempre las pautas del cine de terror entendido como género– establece una lógica ligazón entre la claudicación de la mentalidad tradicional ante sus propios fantasmas, y la claudicación definitiva de las formas clásicas ante el empuje de los vanguardismos.

No es de extrañar, pues, que las distintas taxonomías críticas acerca de este periodo se centren obsesivamente en la idea de la catástrofe, de la decadencia de todos los valores de la sociedad capitalista. Antonio Fabozzi, por ejemplo, divide las tendencias del género en la época en una triple temática: la de la inmanencia, que trataría de «la naturaleza tal como es en realidad», es decir, de las transformaciones a que la ha sometido la sociedad actual –la mujer oprimida, los adolescentes maltratados...: de *Carrie* (Carrie, 1977) a *El exorcista,* pasando por *La noche de los muertos vivientes* (Night of the living dead, 1968)–; la de la trascendencia, que trata acerca de la especie humana como tal; y la del apocalipsis, que «registraría el fracaso de las relaciones entre los hombres [...] y el fracaso de las relaciones entre el hombre y la naturaleza» (FABOZZI, 1982, págs. 34 y 42).

3. Utilizaremos la traducción literal al español del término como claro precedente del *posmodernismo,* pero aclarando que no tiene nada que ver, evidentemente, con el movimiento artístico y literario de principios de este siglo.

Charles Derry, por su parte, habla del «terror de la personalidad» (filmes sobre psicópatas, etc.), del «terror de Armagedón» (fin del mundo, amenazas extraterrestres, etc.), y del «terror de lo demoníaco» (posesiones, encantamientos, etc.), puntualizando que las muestras del género realizadas entre *Psicosis* y *Tiburón* (Jaws, 1975) tienen como único objetivo contestar a la pregunta «¿Por qué el mundo es tan horrible?»: «*Psicosis* y los filmes enmarcados en el "terror de la personalidad" sugerirían que el mundo es horrible porque es esencialmente neurótico y por lo tanto perversamente violento. *La noche de los muertos vivientes* y los filmes representados por el "terror de Armagedón" afirmarían que el mundo es horrible porque el hombre se está convirtiendo en algo científicamente antihumanístico, o, simplemente, porque el universo, malvado por definición, impulsa al mundo y a la condición humana a comportarse de una manera natural y existencialmente horrible. Para terminar, el tercer gran subgénero del cine de terror, el "terror de lo demoníaco", sugeriría que el mundo es horrible porque unas determinadas fuerzas del mal se dedican a subvertir constantemente las cualidades de nuestra existencia» (DERRY, 1977, pág. 85).

Esta idea apocalíptica acerca del universo y del hombre, fundamento de todas estas interpretaciones del periodo, es también el sustrato sobre el que se apoya Robin Wood para pergeñar la clasificación más completa y más compleja, basada finalmente en la descomposición de la institución familiar entendida como «normalidad». En este sentido, y según el propio Wood, «el cine de terror producido desde los años 60 está dominado por cinco motivos recurrentes [...]. El monstruo como psicópata o esquizofrénico [...]. La venganza de la naturaleza [...]. El satanismo, la posesión diabólica y el anticristo [...]. La maldad infantil (a menudo directamente relacionada con lo anterior) [...]. El canibalismo [...]. Estos motivos aparentemente heterogéneos aparecen unidos por su pertenencia a un tema principal que los unifica: la Familia» (WOOD, 1979, pág. 207).

Desde esta perspectiva, el tema de la humanidad definitivamente invadida por las fuerzas del mal se identifica con el fracaso de un modelo social –el capitalismo tardío– cuya incapacidad para el mantenimiento de las estructuras vigentes ha acabado liberando las fuerzas más destructivas del inconsciente. Desde los impulsos psicópatas hasta la nefasta influencia de lo demoníaco, desde las catástrofes ecológicas hasta el triunfo final del mal –que en este periodo empieza a combatir en igualdad de condiciones con el tradicional *happy end*–, el discurso «modernista» encuadra sus propuestas en un único mensaje: el convencimiento de que las estructuras sociales y la propia condición humana están irremisiblemente condenadas a la catástrofe, a la indefensión total ante unas fuerzas malignas que no son otra cosa que la aberrante deformación neurótica de sus propios temores.

Esta consigna es la que pretende materializar fílmicamente Roman Polanski con su espléndida trilogía enmarcada en el cine de terror: no sólo la ya citada *Repulsión,* sino también *El baile de los vampiros* (The fearless vampire killers, 1967) y *La semilla del diablo* (Rosemary's baby, 1968) (véase WRIGHT WEXMAN, 1985). Los tres filmes presentan a un ser humano o a un grupo de ellos obsesionados ante las consecuencias que ciertas manifestaciones del mal pueden tener en sus propias vidas, pero con la particularidad de que esas huellas del terror no acaban nunca de materializarse como *reales* o *realistas* en la pantalla, evidenciando así –sea cual fuere su origen– su carácter inconsciente y psicopático.

En efecto, *Repulsión,* por ejemplo, es tanto un filme de terror como un minucioso estudio psicológico: la detallada crónica de un enloquecimiento progresivo –el de una pedicura (Catherine Deneuve) acosada por sus propios fantasmas sexuales– cuyos síntomas internos adquieren la forma de horripilantes signos exteriores, desde una inquietante pata de conejo hasta un pasillo repentinamente convertido en una interminable fila de manos que intentan atrapar a la protagonista.

La duda, entonces, surge en el abismo existente entre lo que se sugiere y lo que se muestra al espectador. En otras palabras:

¿son esos «signos exteriores» mencionados una simple representación del infierno mental del personaje, o acaso las fuerzas del mal han tomado realmente su hogar al asalto? La habilidad de Polanski, sin duda, reside precisamente en dejar bien clara la primera posibilidad utilizando a la vez la segunda para poder adscribir su película al cine de terror, es decir, para convertir en filme de género –en los límites del género, pero con todos sus rasgos característicos– lo que de otro modo hubiera sido únicamente una descripción de raíz documental.

El baile de los vampiros, el segundo filme de la trilogía, utiliza exactamente la misma estrategia pero de una manera un poco más oblicua, puesto que ahora el forzamiento de sus constantes no se produce en el terreno de la ambigüedad de lo mostrado al espectador, sino en aquel, mucho más escurridizo, de su propia relación con la tradición del género, un aspecto ya apuntado en *Repulsión* que aquí alcanza su definitiva expresión.

Así, concebida exteriormente como una parodia del cine de terror, sección vampírica, *El baile de los vampiros* es antes que nada un comentario sobre las pautas morales del género: mientras los vampiros son caracterizados ya de una manera directa por sus «diferencias» con respecto a la moralidad externa de la sociedad circundante –homosexualidad, promiscuidad, etc.–, esta última adopta síntomas externos de un infantilismo innato, enfermizo, que remite tanto a la fragilidad de sus creencias como a la debilidad de sus estructuras mentales: de ahí que los cazadores de vampiros no sean más que un anciano ya senil obsesionado por salvar al mundo de una plaga supuestamente atroz (Jack McGowran), y un jovenzuelo de muy pocas luces tan torpe como enamoradizo (el propio Polanski).

Más allá de la parodia, estas caracterizaciones responden a una intención muy clara, evidenciada de una manera diáfana por el final del filme: cuando el trineo que supuestamente aleja a los protagonistas de los lugares en los que reside el mal, se revela irónicamente portador de la misma plaga que habían creído eliminar para siempre, lo que se refleja en la pantalla no es únicamente una subversión de las anteriores convenciones genéricas, sino también el aberrante y confuso amasijo en que se ha convertido la moral tradicional, sutilmente carcomida por aquello que cree estar combatiendo. Lo mismo, en definitiva, que consigue Polanski mediante su puesta en escena: dar gato por liebre, plasmar un discurso profundamente subversivo en los dominios de un código establecido.

El tercer filme de la trilogía terrorífica polanskiana, *La semilla del diablo,* es a la vez un resumen y una ampliación de los dos anteriores. Por un lado, toma la premisa principal de *Repulsión* –la confusión entre la enfermedad mental y la existencia del mal– y la convierte en la base de un relato aún más alucinado. Por otro, adopta la misma actitud ante el género que *El baile de los vampiros,* asumiendo así una estructura externa aparentemente mucho más convencional que en el primero de estos filmes, pero renunciando ya al recurso del humor paródico, es decir, atacando de frente las convenciones establecidas.

La semilla del diablo podría ser, como ocurría en el caso de *Repulsión,* tanto la historia de una neurosis paranoica como la descripción de una invasión maligna. Lo que ocurre es que ahora las cosas están mucho más claras, sobre todo en lo que se refiere a la segunda posibilidad: ya no hay titubeos que valgan, las formas fantasmales no se expresan en su más radical indefinición, sino que el mal asume abiertamente una procedencia diabólica, de manera que el proceso descrito puede caracterizarse ya directamente como una posesión. En este sentido, se trata de la primera vez en que Polanski utiliza sin ambages los mecanismos más tópicos del género e intenta darles la vuelta desde su propio interior, sin recurrir ya a procedimientos visiblemente «vanguardistas»: la ambigüedad de *Repulsión* alcanza así un nivel mucho más inquietante, sublimado por la apariencia inmaculadamente transparente de las imágenes del filme.

En efecto, la película es ya casi un compendio de todas las vertientes temáticas del periodo que resumían algo más arriba Fabozzi, Derry y Wood: en principio, mezcla hábilmente lo que podría ser el terror de lo demoníaco y el terror de la personalidad (Derry), puesto que se trata de la historia de una mujer embarazada, o bien supuestamente manipulada por una secta satánica con el fin de que dé a luz una criatura diabólica, o bien únicamente víctima de sus propias obsesiones paranoides; seguidamente, resume en una sola la triple temática de la que hablaba Fabozzi –inmanencia, trascendencia y apocalipsis–, poniendo en escena a un ser maltratado por la sociedad en la que vive (el personaje interpretado por Mia Farrow), y a la vez situándolo en el marco de unas relaciones humanas degradadas (el matrimonio con su marido es sólo una farsa, la secta es únicamente una respuesta a la soledad urbana, etc.); y, finalmente, desmenuza a la perfección las propuestas de Wood en el sentido de que el filme es al mismo tiempo la escenificación de una psicosis, la descripción de una posesión diabólica, la mostración de un acto de canibalismo simbólico –la secta minando, «comiéndose» progresivamente la integridad física y mental de la protagonista–, la representación quintaesenciada de la maldad infantil –el niño es nada menos que el diablo–, y el relato de una venganza de la naturaleza en la persona de una representante del género humano.

Así pues, el tema del embarazo –diabólico o simplemente psicótico– resumiría en sí mismo tanto el motivo «familiar» que Wood sitúa a la cabeza de los temas del periodo –la esencia de la familia en la sociedad capitalista, su capacidad reproductiva, queda así pulverizada, cruelmente reducida al absurdo–, como el motivo más estrictamente social resultante de la suma de todas las aportaciones anteriores: el colapso de unas estructuras organizativas y morales que a su vez provoca la desestabilización psicológica de sus integrantes, ya sea en forma de obsesiones sexuales y/o sadomasoquistas, de alucinaciones demoníacas, de miedo al apocalipsis o de fantasías caníbales de autofagocitación castradora, por repetir algunos de los elementos citados por el trío de estudiosos mencionado.

La trilogía de Polanski, desde este punto de vista, remite,

pues, al motivo paradigmática de la célula social invadida por el mal desde todas las perspectivas posibles: la simbólica en *Repulsión,* donde la desnudez de decorado y trama se transmuta en metáfora de las sociedades desarrolladas; la mítica en *El baile de los vampiros,* donde la cáustica utilización del género pone al descubierto la miserable indefensión de la condición humana; y la sociopsicológica en *La semilla del diablo,* donde finalmente la concreción de propuestas e intenciones resume las otras dos en su vertiente física (el embarazo como infección maligna) y psíquica (la definitiva penetración del mal en las grietas de la mente humana).

Producida en 1968, *La semilla del diablo* parece erigirse de este modo en el abanderado de toda una serie de títulos aparecidos en el mismo año que renovaron y revolucionaron el género desde todos los puntos de vista posibles, convirtiéndose así en la vanguardia de un nuevo concepto del cine de terror (véase LATORRE, 1987, pág. 378). En efecto, mientras las barricadas hacían su aparición en París como símbolo del final de una época y del (equívoco) principio de otra, autores como George A. Romero, Peter Bogdanovich e incluso Ingmar Bergman iniciaban una arriesgada huida hacia adelante por los terrenos del código que, en la mayoría de los casos, no tendría continuidad alguna, pero que simultáneamente serviría para plantar nuevas semillas que germinarían adecuadamente en el periodo siguiente: el frágil cerco puesto a la ideología y la moral burguesas pudo gozar así de una amplia variedad de manifestaciones estéticas.

Para empezar, hay que moverse por la periferia del género, aunque el concepto sea tan amplio como equívoco. En efecto, tanto *El héroe anda suelto* (Targets, 1968), de Bogdanovich, como *Vargtimmen* [La hora del lobo, 1968], de Bergman, no son tanto filmes de terror como ensayos reflexivos sobre el cine de terror –o sobre el terror a secas, en el caso del sueco– y sobre su función social en una época determinada, las postrimerías de los años 60, por lo que su representatividad no debe acentarse en el sentido genérico, sino casi en el metacinematográfico.[4]

De este modo, mientras *El héroe anda suelto* recoge la herencia cormaniana para elaborar un complejo mecanismo fílmico sobre las relaciones entre clasicismo manierista y modernismo en el seno del cine de terror, *Vargtimmen* va aún más allá y se replantea la herencia iconográfica del género en el marco de una reflexión directa y evidente sobre la condición humana. Ambos trabajos son, pues, filmes de autor, pero acaban extrayendo conclusiones que deben aplicarse más al momento concreto que atraviesa el género de referencia que a las filmografías respectivas de sus realizadores.

La película de Bogdanovich, por ejemplo, contrapone los resortes clasicistas del terror –representados por el personaje de Boris Karloff, un astro en decadencia consciente de las mutaciones que está experimentando el género– a la nueva situación sociopsicológica con que debe enfrentarse el código en el umbral de los años setenta –reflejada en la historia de un hombre aparentemente normal transmutado en francotirador psicópata–, conduciendo así al espectador a una serie de jugosas conclusiones: en la secuencia final, los disparos que surgen de la pantalla del *drive in* donde se halla oculto el asesino son ya más terroríficos que la película de Karloff que se proyecta en él (significativamente, *The terror,* de Corman); es decir, los procedimientos clásico-manieristas no resultan ya útiles para simbolizar el verdadero terror de la sociedad posindustrial, el terror de la mente y el entorno invadidos por el mal.

En otro sentido, *Vargtimmen* plantea un discurso aún más radicalmente abstracto. Continuando la investigación sobre la identidad humana abordada en el filme anterior de Bergman, *Persona* (Persona, 1966), pero desde un punto de vista mucho

4. De hecho, los incluimos aquí no como muestras del género –evidentemente, no son filmes de género, sobre todo el de Bergman–, sino como lo que se podría denominar «bibliografía fílmica» sobre el tema.

más crispado, lindante con la alucinación y el horror, la película –con la excusa de contar la historia del pintor Johan Borg (Max von Sydow), de su mujer Alma (Liv Ullmann), y de los fantasmas creativos y existenciales que asaltan al primero–, aborda un tema básico para la evolución del género: la consideración de la procedencia del mal como una combinación de terrores psicológicos y represiones sociales, todo ello materializado en formas exteriores –los monstruosos dibujos del cuaderno (que nunca vemos), la extraña *troupe* de habitantes del castillo– que poco a poco van invadiendo la mente del protagonista.

De este modo, *Vargtimmen* se erige por derecho propio tanto en resumen de la historia del género como en reflejo de su estado en el momento de la realización del filme: no sólo recorre detalladamente las distintas etapas cronológicas del código, de la proyección (los dibujos) a la invasión (el clímax final) pasando por la defensa (el puñetazo propinado al extraño, por ejemplo), sino que lo hace mediante una intuición formal que desmenuza los elementos genéricos clásicos –fantasmas, sangre, alucinaciones– para convertirlos en otra cosa, en signos absolutamente nuevos –véase la escena del niño-vampiro, por ejemplo– que ya nada tienen que ver con la tradición. Así, yendo más allá que Bogdanovich, Bergman plantea a la vez una revolución temática y una renovación formal absolutamente radical que, a pesar de su forzosa intransitividad, ha acabado ejerciendo una cierta influencia en realizadores como David Cronenberg o, en otro terreno, David Lynch.[5]

Sin embargo, el filme sociológica e históricamente más im-

5. Otro de los santones del cine más vanguardista de los 60, Federico Fellini, sorprendió también a los habituales del género con una peliculita atormentada, bellísima, la más espectral que haya rodado jamás: el episodio *Toby Dammit*, del filme colectivo *Historias extraordinarias* (Histoires extraordinaires, 1967), que utilizaba los mismos mecanismos que Bergman en *Vargtimmen* –desconstrucción y subversión de la iconografía al uso: la autopista convertida en abismo, la niña-diablo, etc.–, pero sin su poder de síntesis con respecto al código.

portante realizado en el año 1968 no bebe de las fuentes del vanguardismo más radical, sino que se plantea a sí mismo desde un principio como muestra de una «purificación» de la vertiente más popular del género. En efecto, *La noche de los muertos vivientes*, de George A. Romero, coincide con algunas de las intuiciones de Bogdanovich y Bergman en el sentido de establecer una reflexión sobre el cine de terror desde un punto de vista sistemático, pero no lo hace desde una posición de ventaja –el cinéfilo/intelectual que observa el género con ojos curiosos–, sino desde el propio interior del código, asumiendo todos sus postulados y mecanismos.

A partir de estas premisas, *La noche de los muertos vivientes* puede considerarse el primer filme *de terror* que opta por ciertas características estéticas –blanco y negro, cierto aparente descuido formal, sobriedad narrativa y dramática, etc.– a partir de ciertos presupuestos sociopolíticos y/o metafísicos –una reconcentrada metáfora sobre la familia, la sociedad y la condición humana–, accediendo así a un nivel de representación en el que la estructura genérica se ve constantemente dinamitada por elementos –tanto formales como conceptuales– pertenecientes a la más pura vanguardia fílmica e ideológica, sin llegar jamás a desaparecer. En otras palabras: una radicalización extrema de las propuestas polanskianas que se atreve a prescindir tanto del *look* obedientemente industrial de *La semilla del diablo*, como de la suave pátina arteyensayística de *Repulsión*.

Rodada en un inquietante blanco y negro –que se erige enseguida en figura de estilo gracias a la sensación de amenaza que provoca la utilización del claroscuro–, la película establece desde un principio un obvio paralelismo entre los muertos vivientes del título y la sociedad de la época –el derrumbe de ciertas coordenadas morales, la creciente desconfianza hacia las instituciones, el desencanto provocado por la guerra de Vietnam...–, representada por una serie de personajes que, a su vez, desplazan el énfasis del filme desde el nivel social hasta el familiar: la pareja de hermanos que se pelean ante la tumba de su padrastro, el negro que mata sin piedad al padre de familia neurótico, la pareja de novios indecisa y de carácter débil que no parece tener ningún futuro, etc. De este modo, la familia como célula principal de una sociedad en descomposición se revela a sí misma como la verdadera creadora de esos zombis, de esos muertos vivientes que la asedian simbólicamente en una casa abandonada –las ruinas de un hogar ya perdido para siempre– y que representan sus propios fantasmas reprimidos.[6]

Pero el filme va mucho más allá: el simple asedio se convierte en invasión desde el momento en que los personajes considerados normales, enfrentados a una situación extraordinaria, empiezan a ostentar reglas de comportamiento absolutamente identificables con un nivel de desarrollo social próximo al primitivismo –posturas egoístas, desorganización, terror ancestral, relaciones caóticas...–, o simplemente con un estadio de la propia evolución cercano al infantilismo más manifiesto –la chica que regresa literalmente a la infancia–, de modo que su grado de madurez personal y social queda reducido al mínimo, a la insensibilidad más escandalosa, exactamente igual que les ocurre a sus semejantes convertidos, como ellos, en muertos vivientes.

Esta modalidad interior de la invasión, sin embargo –en la que no es tanto el objeto terrorífico en sí mismo como su significado lo que penetra en las grietas de la estructura social– va convirtiéndose poco a poco, a medida que avanza el filme, en un desolador comentario sobre la condición humana, según el cual tanto el aislamiento de los protagonistas en la casa como su recuperación de ciertos juegos infantiles sadomasoquistas aca-

6. En este sentido, el origen físico de los zombis presenta en la película una explicación propia de los códigos de la ciencia ficción –son el producto de la radiación nuclear– que sin embargo no tiene continuidad alguna en la estructura diegética del filme –absolutamente deudora de los códigos terroríficos–, con lo cual este último debería definirse como estrictamente un filme de terror, aunque generado por una premisa fantacientífica: de nuevo el horror de Armagedón y del apocalipsis.

barían componiendo una metáfora sobre el hombre abandonado a su propio instinto y privado de todas las prerrogativas de la vida social: un escenario que posteriormente sería el punto de partida de multitud de filmes del periodo, incluido el cine denominado catastrófico.

Se trata, pues, de una escenificación del caos social y metafísico[7] que a su vez utiliza los mecanismos de la puesta en escena para poner en evidencia su propia estrategia. En otras palabras: una asunción total del entorno en el que se desarrolla el género en la época, que acaba plasmando la invasión de las fuerzas del mal en una dramaturgia por primera vez verdaderamente desquiciada y revolucionaria. Como es ya habitual en el género, Romero utiliza el encuadre para crear angustia, pero no mediante las súbitas rupturas diegéticas del clasicismo, la geometría agobiante de Fisher o los sutiles desplazamientos retóricos de Polanski, sino a través del descentramiento absoluto, la capacidad para generar extrañeza, *desestabilización,* incomodidad, tanto del *raccord* como de la fotografía, características que en principio pueden explicarse a causa del bajísimo presupuesto del filme, pero que finalmente alcanzan su razón de ser a través de su habilísima superposición a sus propuestas ideológicas.

A partir de esta obra maestra verdaderamente revolucionaria, el género se muestra incapaz de asimilar los cambios radicales que se le vienen imponiendo y acaba optando por un doble camino: aquel que evoluciona bajo los dictados de la industria y el que intenta desarrollarse desde una postura más o menos independiente, asumiendo de una u otra manera las intuiciones de Romero, pero a la vez reconduciéndolas hacia terrenos más transitables.[8]

7. Muchas de las intuiciones expuestas aquí proceden de la densísima lectura que lleva a cabo del filme Robin Wood en *The International Dictionary of Films and Filmmakers: Directors,* Londres, McMillan, 1987, pág. 461.

8. Ni siquiera el propio Romero pudo mantener vigente durante

En cuanto a la primera opción, la tendencia hacia el conservadurismo formal puede correr paralela a una evidente inadaptación temática (es el caso de los filmes producidos en Inglaterra por la Hammer o sus filiales, y dirigidos por hombres como Roy Ward Baker, Peter Sasdy o Freddie Francis),[9] o bien encaminarse hacia falsos «modernismos» (como por ejemplo en *El exorcista,* donde la temática de la invasión –materializada en el cuerpo de una adolescente poseída por el demonio– se ve matizada por ciertas disquisiciones pseudoteológicas de dudoso efecto), pero nunca confluir con los senderos menos trillados y más renovadores del género.

En el caso de los «independientes», por el contrario, películas como *Rabia* (Rabid, 1976), de David Cronenberg; *Hermanas* (Sisters, 1973), de Brian de Palma; *¡Estoy vivo!* (I'ts alive, 1974), de Larry Cohen; o *Las colinas tienen ojos* (Hills have eyes, 1977), de Wes Craven, apuntan que el género está alcanzando entre los cineastas jóvenes una madurez ideológica que culminará en el periodo siguiente, cuando las intuiciones desarrolladas en estos filmes acaben cuajando en un estilo más personal y menos dubitativo.[10]

En este sentido, sin embargo, la figura del entonces joven realizador Tobe Hooper parece venir a desmentir la afirmación anterior, puesto que su filmografía nunca ha vuelto a alcanzar

---

mucho tiempo el radicalismo de *La noche de los muertos vivientes*: sus filmes posteriores, aun siendo más bien apreciables en su conjunto, carecen siempre de la virulencia ética y formal de su *opera prima,* desde *Zombi* (Dawn of the dead, 1979) hasta *El día de los muertos* (Day of the dead, 1985) pasando por *Creepshow* (Creepshow, 1982).

9. Terence Fisher, por su parte, filma en este periodo una de sus grandes obras maestras, *The devil rides out* (1968), pero sus propuestas no van por el camino que exige el género en la época, sino por el de una rigurosa depuración retórica y formal que alcanza niveles casi ascéticos.

10. Puede citarse también en este grupo a un francotirador eternamente marginal, Jesús Franco, que nunca llegará a integrarse verdaderamente en la industria.

una cima tan pronunciada y perfecta como la que supuso *La matanza de Texas* para la evolución del género. En efecto, resumen absoluto del periodo, el filme parte de un despiadado análisis de la institución familiar para precipitarse insospechadamente en un abismo formal e iconográfico que aún hoy en día –a casi veinte años de su realización– continúa resultando de una sorprendente modernidad.

Como ocurría en la trilogía de Polanski, *La matanza de Texas* también utiliza el género como punto de partida para un experimento más o menos vanguardista, siempre con la intención de volver al seno de aquél en última instancia, pero lo que en *Repulsión* o *La semilla del diablo,* por ejemplo, era un ejercicio de contención, de introspección psicológica y formal, se convierte, en el filme de Hooper, en una explosión centrífuga, en una exteriorización que sustituye –en pantalla, se entiende– la investigación mental por la alusión a la víscera, el seguimiento de la obsesión por el olor de la sangre, de modo que la película se muestra en este sentido más deudora de Romero que de Polanski.

A poco que se profundice en el filme, sin embargo, esta aparente contraposición desaparecerá poco a poco para dejar paso a una mezcla de ambas tendencias que acabará dando lugar a un extrañísimo híbrido de indudable unidad: de este modo, la opción rupturista se expresaría a partir de ciertas operaciones subversivas heredadas de Polanski, pero también de la rarificación estilística inaugurada por Romero, mientras que la vertiente más exhibicionista procedería tanto de la vocación revulsiva de *La noche de los muertos vivientes* como del infierno psicológico de *Repulsión.*

El nexo de unión entre todos estos elementos, no obstante, procede de otro lugar. La vertiente psicológica y la vertiente –digamos– *gore,* la tendencia a jugar distanciadamente con el género y el gusto por la subversión más estridente, tienen en el fondo algo en común: el recurso al metacine, a fabricar teoría a partir de ciertas ideas sobre el código, recurso inaugurado, apuntado por Bogdanovich y Bergman, que en el filme de Hooper se materializa en una síntesis perfecta de todos los avances del periodo en este terreno. Así, *La matanza de Texas* es tanto una película como un apéndice comentado que cierra toda una época: de la metáfora neurótica de *Repulsión* a la descarnada parábola social de *La noche de los muertos vivientes,* pasando por el panfleto rupturista de *El héroe anda suelto* (el género ya no puede hablar de las mismas cosas que antes: el concepto de «terror» ha cambiado), la película repasa todas las tendencias y se ofrece a sí misma como glosa y comentario de sus propias fuentes.

A partir de ahí, el tema de la familia como portadora del mal –que ya aparecía, sobre todo, en *La semilla del diablo* (el embarazo) y en *La noche de los muertos vivientes* (la familia como sede de la neurosis)– se convierte en el centro del relato: *La matanza de Texas* narra el enfrentamiento entre dos «familias» cuyo origen es ya el mismo, a saber, la decadencia social que ha provocado su propia desintegración. Por un lado, el grupo de jóvenes que recorren despreocupadamente las solitarias carreteras de Texas en una sofocante tarde de verano. Por otro, el monstruoso grupo familiar que habita el desolado caserón en el que aquéllos encontrarán la muerte. Los primeros, representantes de un presente sin ideales ni esperanza, mantienen entre sí unas relaciones repletas de tensión y de reproches. Los segundos, patéticos vestigios de un pasado que se intuye mucho más armónico y pleno, se han visto obligados a recurrir a la violencia más atroz para sobrevivir como célula económica –su matadero convertido en horripilante cementerio humano– y como estructura social (véase WOOD, 1979, págs. 210-214).

Se trata de un enfrentamiento abierto que, a su vez, renueva toda la iconografía del género. Ya no hay zombis que valgan, al contrario que en el filme de Romero, sino que los nuevos «monstruos» se instalan definitivamente en el interior del código a partir del propio forzamiento de éste, del cambio de tercio que supone esa actitud alusiva mucho más directa con respecto al grupo social y a la célula familiar, de modo que la figura del psicópata (o de los psicópatas) –una mente enferma producto de una sociedad enferma– se erige en símbolo absoluto de este giro, un símbolo que florecerá, en toda su capacidad de sugerencia, en el periodo siguiente, pero que ahora empezará a dejar ya sus huellas: el subrayado de la agresión entre seres humanos, de la herida, de la violencia como tal –aunque en el filme de Hooper sea de un modo bastante elíptico–, e incluso del asco y la repugnancia que ello provoca, una estrategia que películas posteriores conducirán a un nivel de parodia ya difícilmente soportable.

De esta manera, la película lleva hasta sus últimas consecuencias el motivo de la invasión aplicado tanto en el nivel formal como en el temático: por un lado, es la lograda culminación de los intentos experimentales de Polanski, la conversión del género en «otra cosa» absolutamente distinta de lo que era en el periodo clásico y en el manierista –en cuanto a puesta en escena e iconografía se refiere–, algo salvajemente subvertido por los nuevos procedimientos fílmicos, pero a la vez consecuente con sus intenciones de siempre respecto del espectador –apelar al inconsciente social mediante el terror–; por otra parte, es la mostración, ya –más o menos– explícita y sin ambages, del cuerpo social poseído por las fuerzas malignas que él mismo ha creado: la neurosis cotidiana –*Repulsión, La semilla del diablo, Vargtimmen*–, la locura homicida –*El héroe anda suelto*–, la violencia indiscriminada –*La noche de los muertos vivientes*–, y la atrocidad en estado puro.

Desde esta perspectiva, *La matanza de Texas* es el punto sin retorno del género en lo que respecta al periodo, digamos, «vanguardista». Su indiscriminada asunción de los presupuestos renovadores y su aparente acatamiento de las reglas industriales,[11]

11. Siendo una película casi *amateur*, no sólo mereció los honores de la distribución internacional, sino también la beatificación de su autor, encargado a partir de entonces de manufacturar productos cada vez más caros y complejos, incluida la famosísima *Poltergeist: fenómenos extraños* (Poltergeist, 1982), ya de la mano de Steven Spielberg.

todo ello operado de una manera simultánea, la convierten en un producto único, a la vez radical y popular, que actúa como posible umbral para nuevos experimentos pero también como clausura de un estilo: a partir de ella, ya nada será igual, sobre todo en lo referente a un hipotético equilibrio entre las ansias autorales y las exigencias genéricas, situación que dará origen a una autoliquidación de los avances realizados durante el periodo.

Cuatro son, pues, las opciones que se dirimen a partir de aquí: la sumisión absoluta a la industria, representada por filmes como *La profecía* (The Omen, 1976), de Richard Donner, o el propio *Tiburón* , de Steven Spielberg;[12] la entrega incondicional y suicida a la experimentación, conducida al límite por David Lynch y su *Cabeza borradora* (Eraserhead, 1976); el intento de adaptar equilibradamente el universo personal del autor a las directrices del género, reflejado en la ya mencionada *El exorcista II*; y el retorno al punto de partida, es decir, a los ensayos de raíz polanskiana –filmes de género con apariencia de película «culta», o viceversa–, evidenciado sobre todo en dos películas de Peter Weir, *Picnic en Hanging Rock* (Picnic at Hanging Rock, 1975) y *The last wave* (1977).

Los resultados, sin embargo, acabaron reflejando la futilidad de tanto esfuerzo. Dejando aparte el primer grupo, mayoritariamente rutinario a pesar de las excepciones, tanto el suntuoso borrador –y nunca mejor dicho– de Lynch, como los inquietantes trabajos de Weir, se revelaron finalmente como pequeñas joyas obsesivamente encerradas en sí mismas, autocondenadas desde un principio a la esterilidad, mientras que la tentativa de Boorman se dedicó a evidenciar de una manera dolorosa, y casi documental, el choque ya irresoluble entre las tensiones creati-

12. Una habilísima mezcla de película catastrófica y filme de terror que, a pesar de todo, continúa conservando un gran interés, aunque su incidencia en el desarrollo del género terrorífico sea más bien mínima.

vas y el conservadurismo industrial. Ya sea mediante el intento de mostrar el horror en estado puro, es decir, las propias señas de identidad del género al desnudo (Lynch); a través de la poetización de un universo equívoco y ambiguo (Weir); o por medio de la imbricación de elementos alucinados, míticos, en una trama sin mayores sorpresas (Boorman); lo cierto es que este grupo de filmes acabó ilustrando a la perfección el callejón sin salida al que había llegado la vanguardia del género a finales de los años setenta, es decir, el asesinato del propio código a partir de la radicalización de sus propias raíces.[13] El código terrorífico, una vez más, debía enfrentarse a una nueva crisis, y en esta ocasión acabó centrándose maliciosamente en quien por ahora es su última esperanza, el espectador, a partir de un precario compromiso entre la expresión personal y las exigencias industriales.

13. Todo lo cual, como ya habrá quedado claro, no quiere decir que todos estos filmes no tengan interés: lo tienen, y mucho, pero más precisamente como manifiestos personales de impotencia que como muestras genéricas.

IX
UN TERROR POSMODERNISTA (1978-1991)

Cuando, en el año 1978, el realizador John Carpenter estrenó su tercer filme, *La noche de Halloween,* el cine de terror estaba atravesando una pronunciada decadencia. La renovación de la vanguardia experimentalista no había acabado de cuajar, y los trabajos de los nuevos directores no alcanzaban la fuerza suficiente como para constituirse conjuntamente en tendencia alternativa. El filme de Carpenter, pues, representó una especie de *shock:* por primera vez desde *La matanza de Texas,* una película de terror se atrevía a proponer algo nuevo y no precisamente por el camino que había dejado ya cerrado Hooper, sino a través de ciertos elementos que, si bien no podían considerarse revolucionarios, sí que, sin duda alguna, tenían el valor de mostrar un sendero distinto, un enlace con la tradición clásica a partir de su total remodelación.

El filme empieza con una secuencia en cámara subjetiva que se ha hecho ya famosa: a través de una brillante utilización de la panavisión, el espectador se ve obligado a contemplarse a sí mismo atisbando hacia el interior de una casa desde su jardín, observando por la ventana las evoluciones amorosas de una joven pareja, entrando en esa misma casa, cogiendo el primer cuchillo que encuentra, poniéndose una inquietante máscara, y, finalmente, asesinando a sangre fría a los dos muchachos en cuestión. El planteamiento inicial de Carpenter, pues, está bien claro: el propio espectador se ha convertido en el monstruo del filme, ha asumido su papel de *voyeur y* de sádico a partir únicamente de una primorosa pirueta técnica (véase el capítulo II), y además –al final de la escena– ha podido contemplarse a sí mismo en toda su horrorosa desnudez moral.

Es evidente que se trata de un procedimiento formal que, de una manera u otra, en mayor o menor medida, había sido ya utilizado en el cine de terror anterior precisamente para identificar al espectador como el asesino de turno y desenmascararlo así como mirón, pero también es indudable que la opción del filme de Carpenter va mucho más allá: al situar la escena exactamente al principio de la película y, sobre todo, al asumirla conscientemente como tal, es decir, como apertura de una fantasía sádica sobre la mirada, el sexo y la muerte –y no como un simple truco de cámara–, *La noche de Halloween* elabora en unos pocos segundos toda una jugosa teoría sobre la relación del espectador con lo filmado que acaba caracterizando a este último, no ya como simple observador o cómplice, sino como protagonista activo. En otras palabras: lo que en ciertos filmes anteriores se limitaba a ser un indicio, alcanza en la película de Carpenter la categoría de símbolo.

¿Qué se desprende de todo esto con respecto a la evolución del género? Como mínimo dos conclusiones trascendentales para caracterizar el desarrollo del cine de terror posterior: por un lado, el hecho de que el espectador se convierte en centro neurálgico, en eje alrededor del cual giran todos los mecanismos de la ficción (véase más adelante); por otro, la sensación –luego ampliamente confirmada– de que esa estrategia enfocada hacia la audiencia va precisamente acompañada de un giro radical con respecto a las figuras representativas del mal, o, para decirlo de otro modo, el convencimiento de que el mal, no sólo ha invadido ya por completo el yo del hombre contemporáneo, sino que ha procedido igualmente a su absoluta *desintegración.*

No es de extrañar, en este sentido, que –dejando aparte los personajes fundacionales de Hitchcock o Powell, o el espanto colectivo de *La matanza de Texas*– sea precisamente en *La noche de Halloween* donde aparezca por primera vez la figura del *psycho-killer* estrechamente relacionada con la fascinación de la sangre y el cuerpo adolescentes, es decir, enmarcada ya sin ambages en un filme de terror cercano al *gore:* la iconografía del psicópata, en realidad, corresponde a un estadio avanzado del género en el que ha sido ya destruida toda posición defensiva, en el que el virus del mal ha penetrado hasta los últimos resquicios de la condición humana transformándola en otra cosa, en el desquiciamiento absoluto, en el demonio de la locura, en una encarnación pura de lo diabólico, sin necesidad de recurrir a ningún signo de lo sobrenatural.

Ése es el sentido que hay que darle a las palabras de Donald Pleasence en el filme de Carpenter, más allá de algunas interpretaciones de que han sido objeto:[1] el Mal Encarnado de que habla el psiquiatra no es algo que deba relacionarse con el Demonio como ente todopoderoso y etéreo, sino como construcción mítica, como representación absoluta del lado oscuro de la existencia, de modo que cuando Pleasance afirma haber visto en los ojos del asesino los propios «ojos del diablo», no está hablando de un diablo como el de *El exorcista,* una simple voz inidentificable y atávica, sino de algo muy concreto, de las pulsiones más primitivas y malévolas del ser humano que han asumido por fin una forma definitiva –la del *psycho-killer–,* una forma que se puede identificar con la del mito del diablo por su maldad absoluta e irracional, por su instantánea –y diríamos que casi vocacional– pulverización de todos sus valores morales y sociales.

Es precisamente esta utilización del mito, a la vez cáustica y desoladora, la que resume la ambivalencia fundamental del periodo, su oscilación entre un uso casi reverente de la tradición discursiva del género, y el recurso a la manipulación irónica de los elementos que la conforman: en este sentido, los signos míticos, por seguir hablando de nuestro ejemplo, no llegan a

1. Por ejemplo, y extrañamente, por el propio Robin Wood, que, no contento con encuadrar al filme en el «ala reaccionaria» del cine de terror reciente (WOOD, 1979, págs. 217-218), acaba caracterizando el mal que describe como «un horror que no puede analizarse, sólo reprimirse» («John Carpenter», en *The International Dictionary of Films & Filmmakers. Directors, op. cit.*, pág. 80).

funcionar estrictamente como tales, sino que tienden a superponerse constantemente entre sí con el fin de anularse unos a otros, de producir un mecanismo distinto que los englobe y a la vez los desmienta a todos. Es lo que ocurre en *La noche de Halloween* con el mito del diablo, convertido en un simple ser humano, que, irónicamente, es a su vez mucho más «malvado» que cualquier encarnación del diablo. Pero es también lo que ocurre con otras tradiciones del género en otros filmes del periodo, tradiciones que, lejos de contemplarse como esquemas inamovibles, se ven reducidas a simples bases sobre las que se aplican múltiples estrategias de distanciamiento, exageración o humor.

Se trata, pues, de un movimiento inverso al del periodo anterior, una sutil subversión del género, no a través de la introducción de elementos netamente vanguardistas o experimentales, procedentes de una visión más o menos «culta» o «marginal» del género, sino a partir de sus propias constantes sublimadas, modificadas por un simple giro irónico o un comentario a pie de página conscientemente dirigido al espectador, ya sea en forma de guiño, de referencia o de codazo en el estómago. De esta manera, el «modernismo» se troca en «posmodernismo», la experimentación en juego casi infantil con el propio género y las ansias de renovación en ruidosa carcajada sardónica reveladora de la impotencia para ir más allá en todo este asunto.

A partir de ahí, el espectador vuelve a asumir el protagonismo del periodo. Desde el punto de vista de la evolución iconográfica del género, los signos introducidos por los nuevos realizadores estarán destinados a provocarle directamente o a dejarle penosamente indefenso con respecto a los acontecimientos que se desarrollen en la pantalla (mostración indiscriminada de sangre, vísceras y miembros amputados; utilización abrumadora de ciertas tecnologías cinematográficas con el fin de sumirlo en una intensa confusión espaciotemporal; etc.), mientras que desde la perspectiva estilística y formal las citas y los ejercicios intertextuales intentarán ganarse su afecto y su atención a través del recuerdo de otros filmes y de otros tiempos.

De esta manera, el «todo vale» formal acaba superponiéndose al ideológico «nada vale (la pena)», es decir, la apelación constante al público a través de todos los medios cinematográficos y narrativos posibles, termina coincidiendo con una definición del espectador que lo caracteriza como una entelequia en decadencia, como integrante de una especie prontamente destinada a la extinción a raíz de su propia e irreversible caducidad. En otras palabras: la desintegración a que es sometido el espectador como tal desde la pantalla –desde la que se le trata como un simple receptáculo de agresiones visuales y referencias textuales– obtiene su justa correspondencia en la desintegración total de sus propios valores sociales y morales, desencadenada a través de personajes y situaciones.

Se trata, pues, de un posmodernismo a la vez moral y formal. Por un lado, el descreimiento absoluto con respecto a las estructuras sociales y éticas, la total falta de confianza en el progreso de la raza humana, y el tratamiento irónico del espectador. Por otro, el descreimiento absoluto con respecto a las tendencias vanguardistas, la total falta de confianza en el progreso del lenguaje cinematográfico experimental y el tratamiento irónico de los géneros. Puede parecer, en fin, una actitud reaccionaria frente al progresismo por lo menos estilístico del periodo anterior, pero en realidad no es más que una constatación: el fracaso de cualquier tipo de intento evolutivo, el convencimiento de que cualquier utopía sociopolítica o estética está condenada de antemano a su propia autodestrucción.

Sin duda alguna, mucho tiene que ver con todo esto el marco histórico en el que se desarrolla este periodo. A partir del hundimiento de las ideologías y del derrumbe absoluto de la utopía *hippie* –convertida en un infierno de drogas y decadencia urbana, una vez destruido el sueño de la solidaridad bucólica–, el universo resultante, a finales de los años 70, acaba rigiéndose por las mismas directrices contra las que se rebelaron los jóvenes de la década anterior, pero esta vez sin la ingenua confianza típica de la sociedad del bienestar, es decir, en el marco de un agresivo individualismo ajeno a cualquier tipo de proyecto colectivo: el culto al dinero y al trabajo personal como sustitutivo de unas relaciones sociales e individuales plenas y satisfactorias, el poder de la moda y la apariencia como compensador de la ausencia de metas vitales.

Este desolador panorama moral debía, naturalmente, crear sus propios fantasmas, y de ahí que los sueños y los deseos reprimidos se materializaran en monstruos psicóticos capaces, a su vez, de vencer todas las resistencias mentales de la condición humana y de provocarle la demencia absoluta y la desintegración de la personalidad. En otras palabras: los remordimientos del yo entregado a un vaciado total de sus fundamentos éticos se convierten en representaciones del mal profundamente enraizadas en la mente humana, en reflejos neuróticos de sus fantasías que acaban volviéndose contra ella y aniquilándola por completo. Se trata, pues, de una doble desintegración del yo: la de su estallido en mil pedazos, con la consiguiente creación de formas monstruosas exteriores representativas de su carácter escindido –entre la voluntad utópica y las tendencias materialistas–; y la de su aniquilación total por parte de esas mismas formas que se vuelven en contra de su creador, en venganza por la aberrante existencia a la que han sido condenadas.

En este marco conceptual, pueden encuadrarse tanto las múltiples figuras de la psicopatía ilustradas en filmes como *Vestida para matar* (Dressed to kill, 1980), *Pesadilla en Elm Street* (A nightmare on Elm Street, 1985), *El silencio de los corderos* (The silence of the lambs, 1991) o la propia *La noche de Halloween,* como las metáforas de la decadencia física y mental con las que suelen identificarse los héroes de David Cronenberg: ambas aluden claramente a ese doble mecanismo según el cual el yo se escinde y se autoaniquila, se exterioriza y se destruye a sí mismo en una sarcástica revisión de las estrategias clasicistas, es decir, convirtiendo la figura proyectiva en objeto suicida, ya sin posibilidad de eliminarla.

En este sentido, la actitud del cine de terror posmodernista con respecto a las opciones formales es básicamente la misma. Hay un movimiento de regreso a ciertas estructuras clásicas que luego acaba volviéndose contra sí mismo, una aparente vuelta a la narración más o menos tradicional –después de las excursiones vanguardistas– que termina siendo manipulación irónica: en fin, una exteriorización de los «remordimientos» de un género con respecto a su propia desviación de ciertas actitudes progresistas –el experimentalismo de la década anterior– que se convierte en pura autodestrucción, en cáustica manipulación de sus propias constantes.

El representante más descarado y combativo de esta última definición es, sin duda alguna, Sam Raimi, un joven realizador que, con *Posesión infernal* (Evil dead, 1982) y su continuación, *Terroríficamente muertos* (Evil dead II, 1987), revolucionó todas las formas representativas y conceptuales del género elaborando a la vez un par de piezas absolutamente maestras del arte popular.

A partir de un planteamiento tan tópico que llega a rozar la parodia –un grupo de jóvenes ingenuos se dispone a pasar un fin de semana en una casa encantada–, el primero de esos filmes se presenta desvergonzadamente ante el espectador casi como un *slapstick* terrorífico: la psicología de los personajes es nula, e incluso su posible capacidad metafórica queda reducida al mínimo, de manera que lo que importa no es tanto su reacción mental ante los hechos –en las antípodas, pues, de los filmes de Polanski, mitos fundacionales de la época anterior– como su condición de puros símbolos, de monigotes que se enfrentan a los acontecimientos sin coartadas morales de ningún tipo.

¿Qué queda entonces? La pura acumulación de referencias genéricas, la sistemática destrucción de las normas del código mediante su propia exacerbación: los efectos se repiten hasta la saciedad, los trucos propios del género quedan al descubierto a través de una rotunda evidenciación de sus mecanismos, y los personajes son sometidos una y otra vez a las más horripilantes vejaciones, incluyendo violentas posesiones diabólicas, penetraciones con armas punzantes, desmembramientos y desfiguraciones de sus rasgos físicos. El resultado, sin embargo, no es una exagerada celebración operística de las constantes del cine de terror, ni mucho menos un simple catálogo de vísceras y horrores: es una premeditada agresión visual al espectador en la que se pretende, simultáneamente, abrumarlo y adoctrinarlo, obligarle a contemplar los rituales de su propia autodestrucción y mostrarle en qué se ha convertido el género en los últimos años.

A partir de ahí, la gran baza del filme consiste en eliminar cualquier atisbo de construcción dramática precisamente a través de su aparente sublimación: es decir, en fingir que pasan muchas cosas sin que en realidad ocurra nada, sin que los personajes evolucionen y sin que el espectador resulte capaz de ir acumulando información que densifique el filme a medida que transcurre. El género, de este modo, queda reducido a su esqueleto: al propio horror producido por los sustos y por los efectos especiales, que se suceden en la pantalla casi sin ningún tipo de conexión diegética o narrativa, de manera que ello evidencie una total desconfianza con respecto a la evolución del lenguaje cinematográfico, un retorno sin solución de continuidad al primitivismo más absoluto, al cine entendido como espectáculo de barraca de feria.

Eso es precisamente lo que diferencia a un filme como *Posesión infernal* de otros al estilo de *Viernes 13* o similares: la ausencia de autorreflexión de estos últimos los convierte en simples sucesiones de mutilaciones y muertes, en lujuriosas catarsis sadomasoquistas para adolescentes histéricos, mientras que la autoconciencia genérica de Raimi le permite mostrar prácticamente lo mismo comunicando exactamente lo contrario al espectador. En otras palabras: si en las *psycho-movies* más adocenadas el asesinato y la sangre pretenden ejercer un efecto patético sobre el público, en los filmes de Raimi ese efecto se descarta de entrada, se elimina desde el principio con el convencimiento de que no tiene ningún sentido en un universo dominado por el sarcasmo y la ironía. La muerte, entonces, pierde toda su significación metafísica: si el fin último de la vida humana ya no tiene razón de ser, ningún otro valor moral o social puede resultar significativo para el hombre contemporáneo.

El caso de Wes Craven es a la vez idéntico y algo distinto, sobre todo en algunos de sus trabajos. Simultáneamente predecesor y sucesor de Tobe Hooper con filmes como *La última casa a la izquierda* (The last house on the left, 1972) o *Las colinas tienen ojos,* Craven alcanza el cenit de su carrera –por lo menos desde el punto de vista de la popularidad– con una película que se ha convertido ya, a sólo algunos años de su realización, en todo un mito del género: *Pesadilla en Elm Street* (A nightmare on Elm Street, 1985), una aviesa fantasía sádica a medio camino entre la *psycho-movie y* el horror más repugnante a lo *Posesión infernal.*

En efecto, *Pesadilla en Elm Street* cuenta la historia de una venganza: la de un tipo asesinado por una comunidad que vuelve a la vida para internarse en los sueños de sus adolescentes y someterlos a los más horripilantes tormentos. A partir de ahí, todo se reduce a la ilustración de un concepto: el monstruo –el ya celebérrimo Freddy Krueger (Robert Englund)–, un ser repugnante con el rostro deformado y largas cuchillas a modo de uñas, no es más que el producto de la mente enferma de toda una sociedad en decadencia, pues no sólo procede de una especie de pecado original aborrecible, sino que además –y sobre todo– es la materia de la que están hechos los sueños de sus vástagos, es decir, la tétrica sustancia que da forma a todo un inconsciente colectivo.

El gran acierto de Caven, pues, consiste en haber materializado en una horripilante figura cinematográfica el estado de salud moral de toda una sociedad, aceptando a la vez las reglas de oro formales que ya había impuesto Sam Raimi en el seno del género: Krueger, el putrefacto resultado de la decadencia social, no sólo se dedica a penetrar en los sueños de los adolescentes para atormentarlos con sus enervantes persecuciones, sino que además es capaz de llegar hasta el final, de provocarles la muerte física. De este modo, la invasión se convierte en desintegración, el mal se introduce en los resquicios más ocultos de la mente y provoca su estallido, o, dicho de otra manera, el impulso inconsciente humano hacia la muerte y lo inorgánico se materializa en una entidad maligna que a su vez –como corresponde a las características del periodo ya expuestas– se revuelve en contra de sus propios creadores y de su descendencia: la condenación eterna y definitiva de la raza humana.

La plasmación estética de todo este universo emponzoñado no se corresponde demasiado, sin embargo, con sus desoladoras propuestas, puesto que Craven recurre a una puesta en escena más cercana a la exageración festiva de Raimi que a la reflexiva autoconciencia del periodo anterior, donde a buen seguro este filme hubiera sido literalmente *otra cosa.* En este sentido, el propio Krueger se presenta a sí mismo como un ser a la vez repulsivo y atractivo, la cumbre de la maldad irracional pero también un cínico irresponsable y juguetón, y esta ambivalencia, así como la incómoda ambigüedad que provoca con respecto a los sentimientos del espectador hacia él, no sólo impide que la película se convierta en un excéntrico y trascendente *objet d'art*, sino que además le confiere un doble sentido irónico de múltiples perspectivas. Por un lado, el estilo del filme adquiere tintes casi grotescos, cercanos al surrealismo más atrozmente sarcástico: la cama inundada de sangre; los escenarios a la vez realistas y fantásticos, como por ejemplo la fábrica abandonada del principio; etc. Por otro, el efecto que ello ejerce sobre el espectador es simultáneamente cómico y siniestro, escalofriante y humorístico, de manera que la audiencia es capaz de experimentar sensaciones extremadamente opuestas a partir de una misma secuencia y, sobre todo, a partir del propio personaje de Krueger.

La novedad que representa *Pesadilla en Elm Street* con respecto a *Posesión infernal,* pues, consiste en su propio enfoque del género en el interior de un periodo determinado: mientras el filme de Raimi se despliega malévolamente como un catálogo de atrocidades sin ningún tipo de justificación moral –lo cual proclama la dinamitación de todo sentido ético–, el inteligente trabajo de Craven intenta con éxito atravesar el vacilante puente que une el posmodernismo estético –el género como punto de partida para todo tipo de excesos– con una especie de subtexto conceptual que ya no sólo se limita a brotar espontáneamente de la propuesta formal –como ocurría en Raimi–, sino que adquiere entidad propia desde el principio, desde la propia concepción de la trama y de los personajes: así, estos últimos pasan, de ser únicamente símbolos, a convertirse en representaciones metafóricas de la sociedad y la cultura en la que han sido creados.

Ésta es la táctica que utiliza también Brian de Palma en sus películas más logradas, sobre todo en aquellas que se inspiran de una manera directa o indirecta en el trabajo de su maestro Hitchcock. Ya *Hermanas y El fantasma del paraíso* (Phantom of the paradise, 1974) incluían en su repertorio una mirada más o menos fugaz –o más o menos intensa, como se prefiera– al horror en estado puro, ya fuera en su versión psicológica, más cercana al *Underground* del periodo anterior *(Hermanas),* o en su vertiente crudamente sarcástica, a la vez paródica y recreativa *(El fantasma del paraísos),* pero en ningún momento llegaban a integrar voluntariamente la reflexión subversiva con respecto al género con una visión personal y acabada de las posibilidades formales del periodo. Se trataba sin duda de una opción compleja, que quizá De Palma no sabía cómo abordar, pero que –tras el soberbio ejercicio pseudohitchcockiano de *Fascinación* (Obsessión, 1976)–, se vio ya en condiciones de acometer.

El resultado fue *Vestida para matar,* un contundente ejercicio de estilo y sin duda uno de los filmes más importantes y significativos del periodo. En efecto, ante el descreído sarcasmo de Raimi y el insólito eclecticismo de Craven, De Palma adopta la postura quizá más difícil: abordar el género *abiertamente* desde la tradición, desde el pasado, para proyectarlo ya sin ambages hacia un abanico de posibilidades infinito, hacia su definitiva configuración genérica con respecto a la época que está viviendo, y hacia un tratamiento discursivo ya plenamente identificado con los postulados morales propios del periodo.

Renunciando a la tendencia primitivista de *Posesión infernal* y *Pesadilla en Elm Street*, a sus múltiples coqueteos con el cine de vísceras y de adolescentes, *Vestida para matar* adopta en un principio una apariencia explosivamente clasicista o, mejor dicho, manierista –exuberante utilización del color y de la iluminación, sinuosos movimientos de cámara, montaje al borde del virtuosismo, etc.–, para luego trasladarse raudamente al terreno del comentario textual: por una parte, las formas no surgen espontáneamente, sino que se aplican desde fuera, desde un punto de vista teórico con respecto al material fílmico; por otra, las múltiples citas y referencias no llegan a integrarse en ningún momento en el flujo del relato, subrayando así su propia independencia en lo referente a la diégesis.[2]

Esta estrategia, estos mecanismos de distanciamiento y extrañación, lejos de convertir a la película en un objeto deslavazado y pretencioso, la precipitan en un abismo de sugerencias de rara complejidad: su posmodernismo no consiste entonces en el raspado de las superficies clásicas con el fin de poner en pie caricaturas más o menos crueles de un género en descomposición, sino en el buceo deliberado en las estructuras del pasado con la intención de desarraigarlas, de vaciarlas de todo su significado para imbuirles una savia nueva que a su vez acaba transformándolas: distintos contenidos lingüísticos que finalmente crean formas diferentes.

En *Vestida para matar,* el sarcasmo se convierte en simple ironía, pero además en una ironía muy poco visible, que consis-

2. Véase, a este respecto, la cita de *Psicosis* en la escena de la ducha, convertida en signo aislado gracias al tratamiento de la textura fílmica, a los movimientos de cámara y, sobre todo, a la extraña y distanciada utilización de la música.

te en sublimar ciertas características del género de manera operística: así, la exageración pasa, de ser granguiñolesca –Raimi y, en menor medida, Craven, pero también el propio De Palma de *La furia* (The fury, 1978)– a desplegarse suntuosa y ceremoniosamente, en una descodificación del género, no por el camino de la velocidad y la acumulación, sino por el de la elaboración minuciosa y autoconsciente. Véase, por ejemplo, la escena del ascensor, es decir, la del asesinato del personaje incorporado por Angie Dickinson: hay, evidentemente, una cierta recreación en la violencia y la sangre –el rojo sobre el metal, la mueca desgarrada del cadáver sobre las rígidas líneas geométricas...–, pero éstas no se convierten en absoluto en las protagonistas del fragmento, puesto que lo que le importa a De Palma es más bien la planificación, el desglose de una totalidad unitaria en varias miradas paralelas y sucesivas, es decir, en múltiples planos y movimientos de cámara que presentan al espectador la acción ya troceada. Siguiendo la estela de Hitchcock, De Palma recurre al montaje como arma de disolución sintáctica, pero no lo hace desde un punto de vista narrativo y/o informativo/metafórico, sino rarificador, distanciador, de manera que el público se ve obligado a contemplar todo aquello desde fuera, desde su propia conciencia de espectador cinematográfico.

Se trata, pues, de una desintegración de la apariencia y el sentido del lenguaje fílmico que nada tiene que ver con las tentativas de Raimi y Craven: mientras estos últimos se centraban en una subversión sarcástica de las convenciones, De Palma se agarra a la convención diegética para mostrar sus propios mecanismos de funcionamiento al desnudo, pero no con fines experimentales, sino con una meta meramente desconstructiva, ilustrativa. En otras palabras: no pretende demostrar nada, sólo jugar con el lenguaje genérico y sus posibilidades, evidenciando así su carácter convencional y su fragilidad interna. De ahí ese doble final tan denostado –y ya ensayado, en versión menor, en *Carrie*– pero que en el fondo resume la filosofía del filme en toda su artificiosidad: la prostituta (Nancy Allen) vuelve a soñar con el psicópata (Michael Caine) en acción, pero el público no sabe que se trata de un sueño hasta el final de la secuencia.[3] Así, la trama, la historia, podría alargarse indefinidamente, es sólo cuestión de quien maneja los hilos de la ficción, puesto que las estrategias del género lo permiten todo y se pueden manipular hasta la saciedad. En resumen, el género no refleja la realidad, sino únicamente sus propias estructuras: es un conjunto de elementos que se pueden combinar y superponer a voluntad, siempre en razón de una determinada perspectiva con respecto a la tradición.

Esta desintegración lingüística se refleja igualmente en el tratamiento de la figura del psicópata. En efecto, el asesino interpretado por Michael Caine es, indudablemente, heredero directo del Norman Bates de *Psicosis,* pero también incluye varios códigos procedentes de otras convenciones: así, su travestismo no es su única característica definitoria, pues también se trata de un médico dedicado a «labores» absolutamente opuestas a la ética de su profesión y, como consecuencia, de un representante prominente de la sociedad establecida que se revuelve contra sus propios «subordinados» –una paciente, su hijo adolescente y una prostituta–, todo ello aderezado con la más reciente configuración del monstruo invencible, al estilo de *Elm Street* y *Halloween,* tal como reflejan las cualidades obsesivas del sueño final. De esta manera, al igual que ocurría en el plano del lenguaje, el nivel prototípico también se ve caracterizado por la fragmentación: retazos de aquí y de allá, rasgos de distintas tradiciones, acumulados en una figura

3. Un corolario que, además de prefigurar directamente *Pesadilla en Elm Street,* resume sibilinamente el sentido discursivo del filme: el mal –representado por la figura del psicópata– desaparece del mundo fenoménico pero pasa a formar parte del inconsciente, hunde sus raíces en la mente humana con el fin de atormentarla y desintegrarla en un ciclo que se presume eterno.

supuestamente unitaria, que así delata ya sin ambages su procedencia y sus mecanismos de funcionamiento.

Si De Palma se dedica a dejar al descubierto las estructuras lingüísticas del género, es decir, a eliminar el sarcasmo del tratamiento formal para establecer un juego más sutil y elegante, menos directo y agresivo que el de Raimi y Craven, hay otra tendencia que prefiere –ocultando aún más la fractura formal– centrarse en el discurso y aplicarle de un modo virulentamente nihilista la cáustica agresividad que *Posesión infernal* se había dedicado a deslizar por su superficie más evidente. A la vez heredera de la estilización estética de De Palma y de la agresividad psicológica de Freddy Krueger, esta vertiente del terror posmodernista intenta construir un producto más unitario cuya apariencia límpida y tersa apenas deje vislumbrar las tensiones que se ocultan en su interior: las tensiones de unos personajes marcados por la desintegración de su propio yo, y las tensiones de unas directrices formales que intentan fingirse continuadoras directas del clasicismo y, en el fondo, no son más que su reflejo escindido.

La línea definitoria de esta tendencia tiene tres nombres, tres concepciones del terror que ilustran a su vez las tres posibilidades del posmodernismo más arriesgado: David Cronenberg, o la desintegración del ser humano como ser mental y físico; John McNaughton, o la desintegración absoluta de un modelo social; y Johnathan Demme, o la desintegración de unos esquemas morales ya carentes de sentido.

Cronenberg (véase RODLEY, 1 992) es el más constante de los tres en lo que se refiere al género. La clara imperfección de su etapa canadiense –que culmina con dos filmes tan atractivos como fallidos, *Scanners* (Scanners, 1980) y *Videodrome* (Videodrome, 1982)– aparece, sin embargo, repleta de elementos inquietantes, extrañamente personales, que estallarán definitivamente en la plenitud de sus obras maestras estadounidenses, quizá la trilogía más importante y coherente del cine de terror contemporáneo. En efecto, tanto *La zona muer-*

ta (The dead zona, 1983) como *La mosca o Inseparables,*[4] ilustran de manera contundente y repugnantemente física la decadencia del ser humano en una época dominada por la opresión de la ciencia. En *La zona muerta,* un hombre tiene un accidente que le otorga el don de adivinar el futuro, lo cual le conducirá a la autodestrucción. En *La mosca* –insólito *remake* del filme de Kurt Neumann de 1955–, un científico realiza ciertos experimentos en su propia persona que le convertirán en un insecto humano. Y en *Inseparables,* dos hermanos ginecólogos se entregan a un deterioro irreversible en medio de unas extrañas relaciones de interdependencia. Tres filmes, tres facetas de un mismo discurso: la imposibilidad de sobrevivir intacto a un universo tecnológico en descomposición, la desintegración total del yo ante un mundo exterior incontrolable, repleto de elementos malignos disfrazados de progreso y bienestar...; pero también la inevitable fragilidad de la condición humana, la inutilidad de las relaciones entre los hombres (y las mujeres), y el absurdo de una existencia condenada a la muerte y la destrucción.

A partir de ahí, la característica más atractiva del cine de Cronenberg consiste en su habilidad, en su franqueza a la hora de describir el proceso de la descomposición, de manera que todos sus filmes se estructuran a través de varias etapas mostrativas de la caducidad de la carne y de la mente. En *La mosca,* por ejemplo, su filme más claro en este sentido, las pústulas y las protuberancias que van cubriendo paulatinamente el cuerpo de Jeff Goldblum no se presentan ante el espectador como figuras retóricas, es decir, como simples agresiones visuales al estilo Raimi, sino que actúan como marcas, como señalizaciones de un proceso irreversible que va desfigurando progresivamente el cuerpo y la conciencia del protagonista. Del mismo modo, la relación de dependencia entre los gemelos Mantle –un espléndido Jeremy Irons por partida doble–, lejos de acudir a las opcio-

4. Trilogía convertida en tetralogía con *Crash* (Crash, 1996), que cierra el ciclo abriéndolo a nuevos horizontes.

nes más evidentes y espectaculares, recurre a un mecanismo de interiorización que culmina en una representación metafórica: el piso de los dos hermanos, repugnantemente sucio y en absoluto desorden, como símbolo de sus frágiles personalidades abocadas al caos.

Esta preferencia por la descripción sugerente y la crónica minuciosa, resulta ser así la estrategia ideal para la representación de los nódulos conceptuales del periodo, puesto que los procesos de desintegración acaban mostrándose en toda su extensión y con la totalidad de sus detalles, no sólo físicos sino también psíquicos. En *La zona muerta,* por ejemplo, el cenit del poderío mental de Christopher Walken –la adivinación del futuro– se corresponde abiertamente con el límite de sus fuerzas, de modo que la tensión acumulada en su psique sólo puede finalizar en la muerte.

La desintegración física y mental de la persona, de esta manera, acaba superponiéndose también en los filmes de Cronenberg al deterioro mental, a una cierta forma de locura. Lo que ocurre es que, al contrario de lo que sucede en Craven o De Palma, esa locura apenas tiene que ver con la psicopatía agresiva: tanto en *La zona muerta* como en *La mosca o Inseparables,* los instintos destructivos se dirigen mucho más hacia los propios protagonistas que hacia los demás, adquieren un inconsciente sentido suicida que otorga toda su significación a las constantes del periodo, caracterizando la desintegración como un fenómeno enraizado en la propia naturaleza humana, y no únicamente en ciertas personalidades psicóticas.

Aunque sus filmografías no sean tan representativas del género como la de Cronenberg, también los autores antes mencionados junto a él ofrecen, en sendas obras maestras, dos variantes más o menos nihilistas del discurso enunciado. Para empezar, *Henry, retrato de un asesino* (Henry, portrait of a serial killer, 1988), de John McNaughton, es casi una parodia documental de las *psycho-movies* más espeluznantes: concebida inicialmente como una crónica impasible de las andanzas de Henry Lee Lucas, un tipo que únicamente mata por el placer de matar, la película alcanza su verdadera dimensión terrorífica en su relación, a la vez distante y cruel, con el propio espectador, y no precisamente a través de la indiscriminada mostración de vísceras ensangrentadas y miembros descuartizados, sino mediante una insoportable tensión psíquica y moral que recorre el relato de principio a fin.

El hecho, por ejemplo, de que McNaughton no tome partido por nadie, de que sus inusuales héroes –Lucas y un compinche retrasado mental– le parezcan tan dignos de atención y respeto narrativo como cualquier otro personaje de ficción, sin cargar las tintas en ningún sentido, es el detalle que marca el tono y el significado del filme: no se trata únicamente de la descripción de los actos provocados por una mente enferma –en realidad, *no se trata de eso*–, sino de su repercusión en un entorno social degradado y ya absolutamente insensibilizado, que se comporta ante el mal con la misma naturalidad con que se conduce un automóvil o se engullen los alimentos.

De ahí que en la película abunden las escenas más o menos costumbristas, objetivamente naturalistas en su desnuda exposición, y de ahí también que dos de las secuencias más atroces del filme se enmarquen en contextos voluntariamente cotidianos: un rutinario paseo en coche durante el cual Lucas enseña a su amigo a asesinar a sangre fría a una persona, y –sobre todo– una sesión de televisión durante la que los dos tipos contemplan tranquilamente un vídeo en el que ellos mismos aniquilan sin razón alguna a una familia entera. En ambos casos, el espectador, condenado a mirar, a convertirse en cómplice de los asesinatos que se presentan ante sus ojos –sobre todo en el segundo ejemplo, a través de la utilización diegética del «espectáculo» televisivo–, no tiene más remedio que incluirse en la ficción, de modo que su impasibilidad voyeurística también deviene culpable: adoptando ante este relato de la aberración la misma postura indiferente que sus protagonistas, da por sentado que lo que está contemplando es también algo «normal», «habitual» e «inevitable» para él, de manera que acaba condenándose a sí mismo, no sólo como individuo responsable, sino también como integrante de una sociedad que en el fondo comparte su pasividad y su indiferencia. En otras palabras: sin necesidad de subrayar ningún tipo de discurso lastimero o moralista, McNaughton acaba emitiendo un juicio extremadamente condenatorio sobre todo un cuerpo social en inevitable proceso de putrefacción.

Como en los filmes de Cronenberg, pues, *Henry* instaura el convencimiento de que, en la sociedad contemporánea, el mal no se reduce a las zonas psicopáticas de la personalidad, sino que alcanza a todo el espectro social, pero además lo hace con medios paralelos –que no parecidos– a los de Raimi o Craven: a saber, con la total implicación del espectador, no a través de citas o agresiones puramente visuales, sino por medio de una malévola identificación con el relato al final de la cual acaba erigiéndose en doble perfecto de los protagonistas.[5]

Precisamente la relación del filme con el espectador –eje central del periodo: véase más arriba– es también el terreno sobre el que se desliza *El silencio de los corderos* la película de Johnathan Demme que cierra la trilogía de autores dedicados a la despiadada mostración de unas estructuras individuales y sociales absolutamente desprovistas de cualquier tipo de apoyo moral. Pero en este caso la estrategia utilizada por el proceso narrativo no es –como en Raimi, Craven o De Palma– el distanciamiento cómplice o analítico, ni tampoco –como en

5. Dos ejemplos para apoyar este razonamiento: la ya mencionada escena de la sesión televisiva, en la que el espectador contempla el mismo vídeo que los protagonistas y además desde el mismo punto de vista; y el final del filme, en el que tanto el protagonista como el espectador acaban libres, pero a la vez sin rumbo, condenados a la confusión y la ignorancia con respecto a sus propias motivaciones e inclinaciones (o con respecto a las motivaciones e inclinaciones del filme).

McNaughton– la implicación diegética, sino una especie de identificación con el (los) personaje(s) que, lejos de proporcionar las gratificaciones narrativas propias del clasicismo, se dedica a socavar las ideas preconcebidas del público con el fin de poner en evidencia la inevitable escisión que corroe su actividad psíquica.

Así, al contrario de lo que sucedía en el caso de *La noche de Halloween*, esa identificación no se establece *desde un principio* con el personaje representante del mal, sino que zigzaguea y serpentea de un lado a otro sin encontrar un punto de estabilidad, hasta que finalmente estalla en mil pedazos, dejando al espectador suspendido en el vacío moral producto de la desintegración de todos los valores.

En efecto: al principio del filme, la agente del FBI interpretada por Jodie Foster se presenta ante el espectador durante una de sus –al parecer– habituales carreras de entrenamiento físico. La cámara la sigue en vigorosos *travellings* y panorámicas laterales, mientras la banda sonora mezcla indiscriminadamente la música original del filme con los jadeos y suspiros de cansancio de la protagonista.[6] Muy pronto, al final de este breve fragmento, el espectador se enterará de su sentido: otro agente entra por la derecha del encuadre y comunica a Clarice que su jefe la espera en su despacho; acto seguido, Demme corta a otro plano que va descendiendo desde el cielo hasta acabar recorriendo un poste en el que pueden leerse, en pequeños carteles admonitorios, las palabras: «HURT - AGONY - PAIN - LOVE IT», es decir, «DAÑO - AGONÍA - DOLOR - ÁMALO». He aquí, pues, resumido, el proceso moral que recorre el filme: desde el dolor

6. Hay un *travelling* muy concreto que se repite dos veces y que resulta especialmente sintomático: la cámara sigue a Clarice por la espalda, de modo que el espectador se convierte a la vez en perseguidor del personaje y en protagonista de la secuencia, puesto que sigue la misma dirección que la actriz y experimenta sus mismos desplazamientos. Una bonita metáfora de la condición dual de la audiencia en el filme de Demme.

hasta su aceptación masoquista, desde el ejercicio físico penosamente identificado con el acto sexual –jadeos, cansancio, malestar: el concepto del sexo de una reprimida– hasta la salvación *in extremis,* la aparición del padre simbólico –el jefe– que interrumpe el coito y permite a la heroína regresar a sus alienantes quehaceres cotidianos.

De este modo, el espectador –gracias a los *travellings* de identificación, entre otras cosas: véase los que continúan persiguiendo a Clarice ya en el interior de la oficina, mientras busca a su jefe– queda identificado instantáneamente con uno de los personajes principales del filme, aquel que –según se vislumbra ya en este principio– representará a las fuerzas del bien y se encargará de conducir a la audiencia a través de la intrincada trama: como Clarice, el espectador está viviendo de algún modo una experiencia orgásmica –el inicio de una película, de cualquier película– y es arrancado de ella mediante una señalización prospectiva y extradiegética de las sensaciones que va a experimentar durante el filme –HURT, AGONY, PAIN–, de una manera que a la vez le intranquiliza y le pone en guardia.

El mecanismo identificatorio del filme, sin embargo, guarda aún alguna que otra sorpresa. Por un lado, a Clarice se le ordena que busque y capture a Buffalo Bill, un psicópata con evidente predilección por el sexo femenino. Por otro, se la pone en contacto con otro psicópata –con tendencias caníbales, para más señas– que deberá ayudarla a localizar al primero.

El doble juego es evidente: mientras Buffalo Billa su inclinación hacia la aberración sexual, despiertan en Clarece –y en el espectador– la curiosidad malsana –luego convertida en agresividad– por aquello que su pulcra y reprimida cotidianeidad le prohibe, el encuentro con Hannibal Lecter –Hannibal el Caníbal: portentoso Anthony Hopkins– le proporcionará, por identificación, un cierto autoconocimiento interior que a su vez le remitirá a replantearse su comportamiento inicial.

La puesta en escena que utiliza Dezme a la hora de filmar el primer encuentro entre Clarece y Lector es la mejor ilustración de este último aserto. Encerrado en una cárcel de seguridad, la única manera de acceder a él consiste en recorrer tétricos pasadizos, espantosos y asépticos corredores que conducen a un lóbrego subterráneo, sin duda la representación más escalofriante que imaginarse pueda de los más turbios terrores inconscientes. El espectador, claro está, es obligado a descender con Clarice a este infierno mental y luego enfrentado cara a cara con el otro yo de la protagonista, es decir, con *su* otro yo: el atroz, el despreciable Lecter, asesino y caníbal, criminal injustificable, pero a la vez hombre refinado e inteligente, que no dudará en arrastrar a Clarice y al público a un sugerente juego psicológico de equívoca resolución.

Así pues, la capacidad de identificación del espectador sufre un duro revés: acostumbrado ya a Clarice, debe ahora rendirse a la fascinación que sin duda ejerce sobre él el seductor Lecter. Como resultado, su mente acaba escindiéndose: por una parte, la honrada, la insobornable Clarice; por otra, el diabólico Lecter. Pero tampoco es tan sencillo: la identificación del espectador con Clarice no se basa tanto en su rectitud como en lo que oculta, en ese trauma infantil que ha marcado toda su vida y que da título al filme,[7] de manera que la atracción hacia Lecter es en realidad la tendencia hacia la representación literal y desinhibida de la otra cara de ese infierno interior.

Como consecuencia de todo ello, el enfrentamiento final con Buffalo Bill no significa ni mucho menos la superación de un proceso de purificación, la consecución de ese tan anhelado silencio de los corderos interiores, sino, por el contrario, la fusión definitiva con el mal –otro descenso a los infiernos: la habitación a oscuras donde se produce el combate–, ratificada

7. Al perder a su padre a los diez años, fue enviada a la granja de unos parientes, donde presenció una escena horrible: una matanza de corderos que no dejaban de chillar. Desde entonces, toda su vida ha estado enfocada a realizar una acción capaz de hacer callar a todos esos corderos que aún braman en su interior.

por la llamada telefónica final de Lecter a Clarice: haciéndola partícipe de su próxima aberración, sugiriéndole malévolamente que piensa practicar de nuevo el canibalismo, una vez libre, Lecter corrobora así en el ánimo de la muchacha, no sólo que su presencia diabólica jamás abandonará su ya atormentada mente, sino también que ella es en cierto modo responsable de ese inminente crimen, tan espeluznante como los que ha evitado aniquilando a Buffalo Bill.

De esta manera, el juego de identificaciones queda ya completo. Asumiendo inicialmente el turbulento mundo interior de Clarice –desde la primera escena–, el espectador se ve luego dividido entre dos variaciones de su abismo interior: una de ellas, representada por Buffalo Bill, es una especie de proyección maligna que se debe eliminar tanto para que culmine el relato como para que los elementos reprimidos continúen ocultos; la otra, el fascinante Hannibal Lecter, sugiere una atracción irreprimible que no podrá ser clausurada ni anulada, al igual que el relato –el personaje sigue vivo al final del filme, listo para continuar sus fechorías–, puesto que ello conllevaría a su vez la aniquilación de la propia condición humana, fatalmente escindida entre la autorrepresión (Clarice) y la libertad absoluta de los instintos (Lector): una doble identificación que sugiere la putrefacción absoluta del yo, el inútil balanceo entre una forma de desintegración mental u otra.

Esta velada y cínica alusión al periodo clásico por parte de Demme –es decir, la utilización de una proyección maligna de los instintos de los protagonistas[8] cuya función se ve anulada por la aparición, esta vez no en forma de proyección, de otro representante del mal– delata ya la opción estética del filme: jugar con la tradición, celebrarla y a la vez satirizarla a través de la manipulación de algunos de sus elementos más representati-

8. Representada por Buffalo Bill: nótese también que el personaje está delineado sobre el modelo que inspiró *Psicosis,* otra cita más o menos clásica que ratificaría este razonamiento.

vos. En este sentido, pues, El *silencio de los corderos* juega su baza posmodernista sin ningún tipo de contemplaciones: del mismo modo que el dibujo de los personajes, también la puesta en escena recurre a los mecanismos clásicos para después desmontarlos, es decir, organiza una diégesis *aparentemente* clasicista que se ve atravesada constantemente por ciertos fogonazos tan insólitos como sorprendentes. No hace falta recurrir, con el fin de ilustrar esta hipótesis, a la ironía utilizada para el personaje de Lecter: basta con examinar los decorados, los movimientos de cámara y la utilización de ciertos tópicos escenográficos en algunas secuencias, por ejemplo,[9] para certificar que Demme está contemplando al género por encima del hombro, que su distanciamiento socarrón de ciertas formas aparentemente tradicionales es tan evidente como su sarcasmo con respecto al futuro psicológico de la raza humana.

Se trata, sin embargo, de un distanciamiento sustancialmente distinto al utilizado por Cronenberg o McNaughton, y ya no digamos por Craven o Raimi, puesto que Demme, en este sentido, es un posmodernista ortodoxo: retama estructuras *abiertamente* clasicistas con el fin de perorar e ironizar sobre ellas. Una estrategia que, unida a la de Cronenberg –usar la frialdad de la puesta en escena para descodificar el género y mostrarlo en toda la desnudez de sus estructuras– y a la de McNaughton –objetivizar falsamente el relato para, en lúdica paradoja, implicar al espectador, negando así la unicidad del código– acaba dando fe de una inquietante variedad de posibilidades que convierten al terror posmodernista en una de las variantes más curiosas de los llamados géneros institucionales.

9. Como casi todas las relacionadas con los dos psicópatas en cuestión: véase la de la estrepitosa y exageradamente sangrienta huida de Lecter, o la del enfrentamiento final entre Clarice y Buffalo Bill, cautamente contemplado, en parte, a través de una «máscara» distanciadora.

X
¿UN CINE SUBVERSIVO?

Contemplado como una totalidad de conjunto, el cine de terror entendido como código industrial entre 1931 y 1991 refleja así un panorama altamente desolador: empieza centrándose en la noción de inconsciente en su acepción más amplia y fantasmagórica –todas aquellas imágenes mentales que, por su carácter aberrante o inconfesable, no se atreven a salir a la superficie de los demás géneros–, y acaba presentándose a sí mismo como una especie de contenedor psicológico, un receptáculo de la excrecencia mental que se encargaría de mostrar a sus usuarios el lado oscuro de su condición, convenientemente delimitado por la industria en unas fronteras bien definidas.

Sin embargo, este carácter *residual* del cine de terror con respecto a los demás códigos industriales –que sólo comparte, en cierto modo, con la ciencia ficción y el cine erótico o pornográfico–, a pesar de delatar ya su condición marginal, exótica, indudablemente perversa frente a las fantasías más o menos inocentes desplegadas en el resto de los géneros, dejaría un poco en la sombra su alto poder agresivo, su actitud desintegradora y destructiva, su talante presuntamente subversivo en lo que se refiere a la «humanidad», entendida no sólo como grupo social, sino también como cúspide «perfeccionada» del reino animal. ¿Qué hacer, entonces, para captar estos últimos destellos? ¿Cómo puede salir a la superficie esta relación del género con el universo que lo rodea, más allá de sus propias fronteras codificadoras?

La respuesta procede enteramente de los capítulos anteriores: si el carácter, digamos, *underground* del género debe analizarse desde un punto de vista sincrónico, su condición nihilista debe atender más a la cronología, es decir, a la evolución diacrónica de los elementos que lo caracterizan. De este modo, por ejemplo, un estudio aislado del periodo clasicista únicamente serviría para definir la actitud del género con respecto al mal –en general: los «monstruos», en todas sus variedades, serían la materialización de los instintos sádicos y agresivos–, pero se vería incapaz de proporcionar las bases necesarias para sentar sus fundamentos subversivos, dada la aparente actitud conservadora y conformista del periodo en lo referente a las formas y estructuras sociales y/o antropológicas.

Esta última constatación, pues, debería reunir, para su ilustración comentada, elementos procedentes del primer capítulo, y elementos inscritos a su vez en los cuatro capítulos anteriores a éste: por un lado, ciertas nociones conceptuales, de ámbito general, que establecieran la base teórica adecuada para una interpretación coherente; por otro, una línea cronológica esencial, reducida casi a meras formulaciones, que ejemplificara y a la vez hilvanara los conceptos esparcidos en la anterior etapa.

A partir de ahí, los mecanismos y procedimientos se confunden, la teoría aparentemente ajena al acto cinematográfico se adhiere a él con el fin de interpretarlo, no sólo en su esencia, como ya había hecho, sino también –y ahora principalmente– en su evolución, demostrando así que los distintos periodos del género siempre acaban ilustrando involuntariamente los aspectos del inconsciente que están en su origen como código.

Clasicismo, manierismo, modernismo y posmodernismo: las cuatro fases estéticas que caracterizan la evolución del cine de terror –y quizá, en mayor o menor grado, todo el cine de géneros– no son tan importantes, pues, en sí mismas, como en su relación con la parte ideológica, a la que se han asociado cuatro palabras clave en los capítulos correspondientes. Siempre referidas al mal en su acepción más amplia, estas palabras, a su vez, pueden utilizarse para unir los capítulos en un cierto discurso más o menos conceptual. De esta manera, mientras el clasicismo se caracterizaría por la *proyección* del mal en figuras vicarias que arrebatarían toda responsabilidad al elemento humano; el manierismo representaría la *defensa* de ciertas normas y prerrogativas sociales con respecto a un mal ya abiertamente amenazador; el modernismo contemplaría la *invasión,* por parte de ese mismo mal, de las zonas más debilitadas y frágiles de la conciencia humana; y, finalmente, el posmodernismo se ceñiría a la *desintegración* absoluta de los valores a través, principalmente, de la figura del psicópata como encarnación –ya en absoluto vicaria– de ese mal en constante expansión.

Proyección, defensa, invasión, desintegración: cuatro movimientos estratégicos, casi bélicos, que acaban refiriéndose a otros tantos conceptos teóricos ya planteados en el primer capítulo y, por lo tanto, identificados con ciertas nociones mítico-estéticas procedentes de Jung y Freud.

En el caso del clasicismo, para empezar, las fuerzas operantes son los arquetipos junguianos, y su modo de funcionamiento remite a un tratamiento del Mal más bien «optimista» y, digamos, gregario: al negarse a una superposición estricta con el inconsciente individual, es decir, al amoldarse a las formas de lo colectivo, los arquetipos malignos –los «monstruos»– se ven capaces de *proyectarse* hacia el exterior, impulsados por una fuerza social –la lucha conjunta contra la amenaza del mal– que los mantiene alejados de las capas más sensibles de la psique.

Durante el manierismo, las cosas se complican: los arquetipos estallan en mil pedazos, se diluyen en su propia fuerza incontrolada y alcanzan una indefinición que los hace aún más peligrosos. A partir de ahí, las distintas partes de la psique, tal como las había descrito Freud, se ven obligadas a entrar en acción, por lo que el superyo se pone en guardia, alertado por la fragmentación del arquetipo colectivo, y organiza toda una serie de mecanismos de defensa destinados a fortificar los valores sociales que están siendo amenazados. Se trata, pues, de un primer momento de la lucha contra el mal, contra la rebelión de los arquetipos que el propio hombre había creado para resistirse a la llamada abismal del «otro lado».

Una vez derrotado el superyo, con la llegada del modernismo, los arquetipos ya absolutamente desindividualizados, destruidos en su condición de tales, toman de nuevo forma y acaban encarnándose esta vez en un todo magmático e inconcreto, una amenaza latente e invisible que abandona las formas claras, apolíneas, del arquetipo junguiano, para adoptar la inquietante configuración del «ello», la figura retórica freudiana referida a las pulsiones más primitivas que inicia entonces su invasión, su regreso a la psique humana –de donde había sido expulsado en forma de arquetipo durante el clasicismo– con el fin de destruirla ya por completo.

Se tratará, por lo tanto, no de una destrucción, sino de una autodestrucción, puesto que son los propios mecanismos generados en principio por la mente para enfrentarse a la amenaza de un mal supuestamente exterior los que vuelven, para infiltrarse en sus entresijos, convertidos ya en otra cosa. ¿No será, entonces, que ese mal procedía, no del exterior, sino de la propia psique humana? ¿No será que lo único que intenta ahora es regresar a su hogar para completar su tarea, en lógico cumplimiento de la ley del eterno retorno? ¿No serían los arquetipos colectivos, más allá de una simple proyección, también *parte integrante* de la mente humana, el propio ello expulsado de su paraíso que ahora vuelve para vengarse?

Sea como fuere, la epopeya finaliza cuando, ya en el periodo posmodernista, y una vez vencidas las defensas del superyo e invadida completamente la psique por las fuerzas del ello, se produce sin remedio la desintegración del yo, de la razón y de la reflexión, definitivamente aniquiladas por las incontrolables pasiones del ello. De este modo, se completa el círculo, regresa el doble –el arquetipo desgajado– convertido en lo siniestro, y se diluye definitivamente lo apolíneo en el magma de lo dionisíaco: el ello –que se había intentado disfrazar de arquetipo– vuelve a ser ello, y vuelve a dominar el escenario ahora ya sin tapujos, sin ningún tipo de máscara ni disfraz.

El arquetipo, el superyo, el yo y el ello: los protagonistas de esta batalla conforman igualmente la estructura completa de la psique humana –tanto en su funcionamiento interno definido por Freud, como en su proyección al exterior descrita por Jung, sin olvidar las innumerables connotaciones nietzscheanas que todo ello comporta–, de manera que su condición de elementos básicos para la definición de las raíces del género acaba transmutándose en pura dialéctica temporal, en explicitación de la evolución del código. Una simbiosis operativa que confirma definitivamente la importancia de todos estos conceptos teóricos para el análisis, definición y descripción del género.

Ahora bien, ¿resulta lícita la aplicación de dichos elementos, de una manera más o menos rígida, a un organismo en constante movimiento y evolución como es el cine de terror? ¿No resulta de todo ello una simplificación flagrante, tanto para las teorías originarias como para el estudio de la práctica del código en cuestión? Deberían bastar los nombres de ciertos críticos y analistas para dejar al descubierto la irrelevancia de estas cuestiones, pero lo mejor será –dadas las características de estas páginas– abordarlas desde otro flanco algo distinto.

Para empezar: ¿se trata de psicoanálisis aplicado? ¿Se han tomado aquí las teorías freudianas, entre otras, como baremo estrictamente científico, como explicación dogmática y magistral de ciertos hechos experimentales (la definición e historia de un género cinematográfico determinado)? O, en otras palabras: las nociones teóricas utilizadas para estructurar nuestra teoría, ¿son fundamentalmente *psicológicas,* es decir, adheridas a un saber médico concreto, o se trata de conceptos meramente *estéticos*, hábilmente cubiertos con el barniz de la respetabilidad científica?

Desde un punto de vista más o menos wittgensteiniano, los elementos de la teoría freudiana no serían más que meros conceptos literarios, parte integrante de una obra de ficción que precisamente perdería su encanto al pretender alcanzar ciertas metas científicas. De este modo, su aliento filosófico sería comparable, por poner un ejemplo, a la intensa base especulativa de los cuentos de Borges, mientras que su validez psicológica quedaría reducida a un problema de verosimilitud. Todo el entramado, así, podría resumirse en un acto de creación puro, la creación de un universo propio e intransferible en el que la mente humana se concebiría de un cierto modo, no en virtud de experimentos comprobables, sino con el fin de delinear una determinada concepción de la condición humana: «La imagen de que la gente tiene pensamientos subconscientes tiene encanto. La idea de un submundo, de un sótano secreto. De algo escondido, misterioso. Como los dos niños de Keller, que meten una mosca viva en la cabeza de una muñeca, entierran la muñeca y escapan. (¿Por qué hacemos estas cosas? Éstas son las cosas que hacemos.) Estamos dispuestos a creer un montón de cosas simplemente porque son misteriosas».[1]

De esta manera, y desde un punto de vista exclusivamente estético, es decir –en este caso–, referente a los contenidos de la obra artística, los conceptos de Freud y compañía parecen los más adecuados para interpretar historias como la de la muñeca de Keller: las conclusiones no se referirán, así, a un detallado examen médico/psicológico de la psique humana, sino únicamente a una manera de contemplar al hombre en sus pasiones e impulsos más indescifrables e incomprensibles, a una hipótesis especulativa sobre el discurso conjunto de un género cinematográfico que sigue unos ciertos derroteros estéticos e ideológicos perfectamente inteligibles y coherentes a lo largo de los años.

De ahí, pues, la aparente facilidad –y a la vez rigidez– con que encajan todos los elementos, y de ahí también la supuesta superficialidad de las propuestas: lo que hace Freud es, en definitiva, lo mismo que Nietzsche con los conceptos de apolíneo y dionisíaco, es decir, recurrir al mito para explicar el origen de la actual configuración de la humanidad en un sentido metafórico y representativo, con lo que –dado que el territorio del mito es

1. LUDWIG WITTGENSTEIN, *Lecturas y conversaciones sobre estética, psicología y creencia religiosa,* Barcelona, Paidós, 1993, III, 26.

por definición mucho menos complejo y minucioso que el de la ciencia– sus conceptos y teorías acaban remitiendo siempre a un mecanismo simbólico abiertamente alejado del aparato experimental científico.

Así pues, la aplicación de toda esta parafernalia léxica –arquetipo, superyo, ello, yo, etc.– a la evolución del cine de terror, no sólo está muy lejos de constituir un corsé simplificador y artificial con el que explicar lo que en un principio parece tan sencillo, sino que además otorga a su objeto de estudio una claridad y nitidez, una amplitud de miras, que de otra forma se vería privado de alcanzar. En efecto, se trata de la aplicación de un mito fundacional a un conjunto de mitos colectivos, una operación crítica mediante la que un género basado en el miedo y la fantasía se ve así diseccionado por ciertas nociones míticas y estéticas también desgajadas de uno de los mayores terrores de la humanidad: el pánico ante el funcionamiento de la propia mente humana, el terror a que ese mecanismo delicado y misterioso sea en realidad una caja de Pandora que aloje miles de demonios incontrolados. Y ésta es precisamente la conclusión del análisis: el convencimiento de que el yo del hombre está desintegrándose a causa de la invasión de unas fuerzas que no son exteriores, es decir, que pertenecen a su propio inconsciente. De este modo, las teorías freudianas, junguianas y nietzscheanas, entre otras, serían las más adecuadas para estudiar el cine de terror a causa precisamente de que los temores que las produjeron son los que acaban dando forma y entidad a la progresión cronológica del género, en un sentido mítico y especulativo.

Es cierto que la llamada «crítica psicoanalítica» ha dado también sus frutos en otros terrenos del análisis genérico, tanto en la comedia musical como en el melodrama, por poner dos ejemplos señeros. Sin embargo –y aun concediendo que ese método tenga algo que ver con lo aplicado en estas páginas–, los resultados son en realidad muy otros: generalmente no llegan hasta el final, hasta la médula misma de los mitos freudianos y nietzscheanos –lo que podría llamarse «el terror de lo siniestro»–, precisamente porque lo impide el propio carácter de los géneros en cuestión, únicamente basados en fantasías pero no en temores viscerales, es decir, en el pavor ante el verdadero rostro de la condición humana.

De ahí, pues –y regresamos al propósito inicial de este capítulo–, que la aplicación de toda esa serie de mitos a la cronología del cine de terror dé como resultado la ratificación de su capacidad subversiva, pues el seguimiento de su evolución según esos patrones se adhiere a un concepto radicalmente pesimista del progreso humano con respecto a todos los valores y creencias. La conclusión de ese enfrentamiento con los misterios de la psique, como se ha visto, no es otra que la asombrada contemplación de su derrumbe, de su desintegración absoluta ante los repetidos acosos de un Mal que procede de ella misma, con lo que, finalmente, ya no hay salida posible: no sólo se han dinamitado todo tipo de convenciones sociales y políticas –los conceptos de grupo, de convivencia, de bien común o de solidaridad, por poner sólo algunos ejemplos–, sino también, y esto es lo más importante, cualquier rastro de confianza o fe en el ser humano como tal, es decir, como individuo aislado esencial y rousseaunianamente bueno, puesto que si todo mal procede en realidad del hombre mismo –y va a parar a él–, entonces ya ningún intento vale la pena, ya no hay opción para la utopía política o social –empezar de nuevo– porque la humanidad como género está condenada de antemano y la civilización es únicamente un disfraz que oculta los horrores más aberrantes.

Este impulso subversivo, esta negación de toda esperanza –es decir, de todo discurso posibilista, no sólo por parte del poder instituido, sino también de todas sus alternativas–, es el reflejo de una teoría que va aún un paso más allá de lo que habían ido las de Robin Wood. Si, según éste, toda noción de mal, en el cine de terror moderno, proviene de las estructuras de la célula familiar –en otras palabras: de unas estructuras sociopolíticas obsoletas y perniciosas para la libertad del ser humano–, según lo esbozado hasta aquí en este libro, por el contrario, no hay redención ni revolución posibles, puesto que los fundamentos burgueses y patriarcales que han dado lugar a la familia y a la sociedad actuales están tan fuertemente enraizados en el inconsciente humano –forman de tal manera parte de su Mal– que se volverían a reproducir en cualquier ocasión, por muy poco propicia que fuera para ello (y ejemplos históricos no faltan).

En todo caso, pues, el discurso instaurado en estas páginas tendría más que ver con ciertas intuiciones de Andrew Tudor que con las excesivamente optimistas conclusiones que pueden extraerse del trabajo de Wood. De este modo, aunque el método seguido sea otro, los resultados guardan misteriosas coincidencias: «Mientras las películas de terror de las tres primeras décadas [años 30, 40 y 50] se mueven entre los dos polos de la ciencia y de lo sobrenatural, a través de monstruos que nos amenazan sobre todo, cuando no totalmente, desde el «exterior», las tres últimas décadas sitúan la amenaza que refleja el género mucho más cerca de nosotros. En estos años, el cine de terror empieza a articular un tipo de ansiedad radicalmente distinta. La amenaza que plantean las películas de horror posteriores a 1960 puede contemplarse como la expresión de una profunda inseguridad acerca de nosotros mismos, de acuerdo con el panorama cotidiano contemporáneo. De ahí que, de todas las criaturas del cine de terror, sea el psicópata el que predomine. [...] En otras palabras, y aunque se trate de una simplificación, nuestro característico punto de vista acerca de la locura se ha secularizado, ha regresado a nuestro propio seno. La revolución conceptual asociada con el nombre de Freud, cuando no con su obra, nos ha abierto las puertas a una nueva concepción del miedo: miedo de nosotros mismos y de las incomprensibles y peligrosas fuerzas que se agitan en nuestro interior» (TUDOR, 1989, pág. 48).

Ante la contundencia de este espléndido resumen, sólo una pregunta, para finalizar: ¿de verdad alguien puede aún pensar que el cine de terror como tal logró sobrevivir más allá de principios de los 90? ¿O se trataba ya, simplemente, de otra cosa? No es ninguna casualidad, en cualquier caso, que este libro, titulado *El cine de terror,* finalice su andadura en 1991. Todo lo demás, como también diría Nietzsche, fue locura.

FILMOGRAFÍA ESENCIAL

1919. *El gabinete del doctor Caligari* (Das Cabinet des Dr. Caligari). Director: Robert Wiene. Intérpretes: Werner Krauss, Conrad Veidt, Lil Dagover.
1921. *Nosferatu* (Nosferatu, eine Symphonie des Grauens). Director: Friedrich Wilhelm Murnau. Intérpretes: Alexander Granach, Max Schreck, Gustav von Wangenheim.
1930. *Vampyr*. Director: Carl Theodor Dreyer. Intérpretes: Julian West, Henriette Gérard, Jan Hieronimko
1931. *Drácula* (Dracula). Director: Tod Browning. Intérpretes: Bela Lugosi, Edward Van Sloan, Dwight Frye.
1931. *El doctor Frankenstein* (Frankenstein). Director: James Whale. Intérpretes: Boris Karloff, Colin Clive, Mae Clarke.
1932. *El malvado Zaroff* (The most dangerous game). Directores: Ernest B. Schoedsack e Irving Pichel. Intérpretes: Joel McCrea, Fay Wray, Leslie Banks.
1932. *El hombre y el monstruo* (Dr. Jekyll and Mr. Hyde). Director: Rouben Mamoulian. Intérpretes: Fredrich March, Miriam Hopkins, Rose Hobart.
1932. *La parada de los monstruos* (Freaks). Director: Tod Browning. Intérpretes: Wallace Ford, Olga Baclanova, Harry Earles.
1932. *La legión de los hombres sin alma* (White Zombie). Director: Victor Halperin. Intérpretes: Bela Lugosi, Madge Bellamy, John Harron.
1933. *La isla de las almas perdidas* (Island of Lost Souls). Director: Erle C. Kenton. Intérpretes: Charles Laughton, Richard Arlen, Leila Hyams.

1934. *Satanás* (The black cat). Director: Edgar G. Ulmer. Intérpretes: Boris Karloff, Bela Lugosi, David Manners.

1935. *La novia de Frankenstein* (The Bride of Frankenstein). Director: James Whale. Intérpretes: Boris Karloff, Colin Clive, Elsa Lanchester.

1941. *El hombre-lobo* (The Wolf Man). Director: George Waggner. Intérpretes: Lon Chaney Jr., Claude Rains, Ralph Bellamy.

1942. *La mujer pantera* (Cat People). Director: Jacques Tourneur. Intérpretes: Simone Simon, Tom Conway, Kent Smith.

1943. *I walked with a zombie.* Director: Jacques Torneur. Intérpretes: Frances Dee, Tom Conway, James Ellison.

1953. *Los crímenes del museo de cera* (House of wax). Director: André de Toth. Intérpretes: Vincent Price, Frank Lovejoy, Phyllis Kirk.

1957. *La noche del demonio* (Night of the demon). Director: Jacques Tourneur. Intérpretes: Dana Andrews, Peggy Cummings, Niall MacGinnis.

1957. *La maldición de Frankenstein* (The curse of Frankenstein). Director: Terence Fisher. Intérpretes: Peter Cushing, Christopher Lee, Hazel Court.

1958. *Drácula* (Horror of Dracula). Director: Terence Fisher. Intérpretes: Peter Cushing, Christopher Lee, Michael Gough.

1959. *Los ojos sin rostro* (Les yeux sans visage). Director: Georges Franju. Intérpretes: Pierre Brasseur, Alida Valli, Edith Scob.

1960. *Las novias de Drácula* (Brides of Dracula). Director: Terence Fisher. Intérpretes: Peter Cushing, David Peel, Martita Hunt.

1960. *El hundimiento de la casa Usher* (House of Usher). Director: Roger Corman. Intérpretes: Vincent Price, Myrna Fahey, Mark Damon.

1960. *La máscara del demonio* (La maschera del demonio). Director: Mario Bava. Intérpretes: Barbara Steele, John Richardson, Ivo Garrani.

1960. *El fotógrafo del pánico* (Peeping Tom). Director: Michael Powell. Intérpretes: Carl Boehm, Anna Massey, Maxine Audley.

1960. *Psicosis* (Psycho). Director: Alfred Hitchcock. Intérpretes: Anthony Perkins, Janet Leight, Vera Miles.

1962. *La obsesión* (Premature Burial). Director: Roger Corman. Intérpretes: Ray Milland, Hazel Court, Richard Ney.

1965. *Drácula, príncipe de las tinieblas* (Dracula Prince of Darkness). Director: Terence Fisher. Intérpretes: Christopher Lee, Andrew Keir, Barbara Shelley.

1965. *Repulsión* (Repulsion). Director: Roman Polanski. Intérpretes: Catherine Deneuve, Yvonne Furneaux, Ian Hendry.

1968. *La noche de los muertos vivientes* (Night of the living dead). Director: George A. Romero. Intérpretes: Judith O'Dea, Duane Jones, Karl Hardman.

1968. *La semilla del diablo* (Rosemary's baby). Director: Roman Polanski. Intérpretes: Mia Farrow, John Cassavettes, Ruth Gordon.

1968. *El héroe anda suelto* (Targets). Director: Peter Bogdanovich. Intérpretes: Boris Karloff, Tim O'Kelly, Nancy Hsueh.

1968. *Vargtimmen.* Director: Ingmar Bergman. Intérpretes: Max Von Sydow, Liv Ullmann, Ingrid Thulin.

1972. *El exorcista* (The exorcist). Director: William Friedkin. Intérpretes: Ellen Burstyn, Max Von Sydow, Jason Miller.

1974. *La matanza de Texas* (The Texas Chainsaw Massacre). Director: Tobe Hooper. Intérpretes: Marilyn Burns, Allen Danziger, Paul A. Partain.

1974. *¡Estoy vivo!* (It's alive). Director: Larry Cohen. Intérpretes: John P. Ryan, Sharon Farrell, Andrew Duggan.

1976. *Cabeza borradora* (Eraserhead). Director: David Lynch. Intérpretes: John Nance, Charlotte Stewart, Allen Joseph.

1977. *El exorcista II: el hereje* (The exorcist II: The heretic). Director: John Boorman. Intérpretes: Linda Blair, Richard Burton, Louise Fletcher.

1977. *The last wave.* Director: Peter Weir. Intérpretes: Richard Chamberlain, Olivia Hamnett, David Gulpilil.

1978. *La noche de Halloween* (Halloween). Director: John Carpenter. Intérpretes: Jamie Lee Curtis, Donald Pleasence, Nancy Loomis.

1980. *Vestida para matar* (Dressed to kill). Director: Brian De Palma. Intérpretes: Michael Caine, Angie Dickinson, Nancy Allen.

1982. *Posesión infernal* (Evil dead). Director: Sam Raimi. Intérpretes: Bruce Campbell, Ellen Sandweiss, Betsy Baker.

1985. *Pesadilla en Elm Street* (A Nightmare on Elm Street). Director: Wes Craven. Intérpretes: John Saxon, Ronee Blakely, Heather Langenkamp.

1986. *La mosca* (The fly). Director: David Cronenberg. Intérpretes: Jeff Goldblum, Geena Davis, John Getz.

1989. *Inseparables* (Dead Ringers). Director: David Cronenberg. Intérpretes: Jeremy Irons, Genevieve Bujold, Heidi von Palleske.

1990. *Henry: retrato de un asesino* (Henry: Portrait of a Serial Killer). Director: John McNaughton. Intérpretes: Michael Rooker, Tracy Arnold, Tom Towles.

1991. *El silencio de los corderos* (The silence of the lambs). Director: Johnathan Demme. Intérpretes: Jodie Foster, Anthony Hopkins, Scott Glenn.

BIBLIOGRAFÍA BÁSICA*

BÉNICHOU, Pierre J.-B., *Horreur et épouvante,* Pac, colección Têtes dÁffiche, 1977.

BORDWELL, David, STAIGER, Janet, y THOMPSON, Kristin, *The classical Hollywood Cinema,* Londres, Routledge, 1988.

BOURGET, Jean-Loup, *Hollywood, années 30,* París, Hatier, 1986.

BURGIN, V., DONALD, J. y KAPLAN, C., comps., *Formations of fantasy,* Londres, Methuen, 1986.

BUTLER, Ivan, *Horror in the cinema,* Nueva York, Barnes, 1967 y 1970.

CASETTI, Francesco, *Dentro lo sguardo. Il film e il suo spettatore,* Milán, Bompiani, 1986 (trad. cast.: *El film y su espectador,* Madrid, Cátedra, 1989).

CIEUTAT, Michel, *Les grands themes du cinéma américain,* París, Cerf, 1988.

CLARENS, Carlos, *An illustrated history of the horror film,* Londres, Putnam, 1967.

COWIE, Peter,*Ingmar Bergman. A Critical Biography,* Londres, Secker & Warburg, 1982 (trad. franc.: *Ingmar Bergman,* París, Seghers, 1986).

CURTIS, James, *James Whale,* Los Ángeles, Scarecrow Press, 1982 (trad. cast.: *James Whale,* San Sebastián-Madrid, Festival Internacional de Cine de San Sebastián-Filmoteca Nacional, 1989).

DANIELS, Les, *Living in fear: A history of horror in the mass media,* Nueva York, Charles Scribner's Sons, 1975.

* Al efectuar las consultas respecto a las ediciones de los textos citados, téngase en cuenta, en el caso de los libros con edición española, que el año y las páginas se refieren siempre a la traducción castellana.

DE COULTERAY, George, *Sadism in the movies,* Nueva York, Medical Press, 1965.

DERRY, Charles, *Dark dreams. The horror film from «Psycho» to «Jaws»,* Nueva Jersey, Barnes and Co., 1977.

DONALD, James, comp., *Fantasy and the Cinema,* Londres, British Film Institute, 1989.

EARLEY, Steven C., *An introduction to american movies,* Nueva York, Mentor, 1978.

EISLER, R., *Man into wolf: an anthropological interpretation of sadism, masochism and lycanthropy,* Londres, Routledge and Kegan Paul, 1951.

EISNER, Lotte H., *L'écran démoniaque,* París, Le Terrain vague, 1981 (trad. cast.: *La pantalla demoníaca,* Madrid, Cátedra, 1990).

EVERSON, William K., *Classics of the horror film,* Seacacus, Nueva Jersey, Citadel Press, 1974.

EYLES, Allen, y otros, *The house of horror: The history of horror films,* Londres, Lorrimer, 1973.

FABOZZI, Antonio, *Il cinema della paura,* Nápoles, Liguori, 1982.

FERNÁNDEZ VALENTÍ, Tomás, «Cine fantástico: la desnaturalización de un género», en *Dirigido,* n. 91, mayo de 1991.

FRANK, Alan, *The horror film handbook,* Totowa, Nueva Jersey, Barnes and Noble, 1982.

FRANK, Alan, *Horror movies: Tales of terror in the cinema,* Londres, Octopus, 1974.

FREUD, Sigmund,«Das Unheimliche», en *Image,* 5 (5-6), 297-324, 1919, y *Das Ich und das Es,* Internationaler Psychoanalytischen Verlag, 1923 (trads. casts.: «Lo siniestro» y «El yo y el ello», en *Obras completas,* tomo VII, Madrid, Biblioteca Nueva, 1974).

GIFFORD, Dennis, *A pictorial history of horror movies,* Hamlyn, 1978.

GONZÁLEZ REQUENA, Jesús, *La metáfora del espejo,* Madrid, Hiperión, 1986.

GONZÁLEZ REQUENA, Jesús, comp., «Lo siniestro, la fotografía, el cine...», *Archivos de la Filmoteca de Valencia,* n. 8.

GRANT, Barry Keith, comp., *Film Genre Reader,* Austin, University of Texas Press, 1989.

GRIXTI, Joseph, *Terrors of uncertainty,* Londres-Nueva York, Routledge, 1989.

GUARNER, José Luis, «El rubí en forma de rosa», catálogo del Festival Internacional de Cine Fantástico de Sitges, 1986.

GUBERN, Román, y PRAT, Joan, *Las raíces del miedo,* Barcelona, Tusquets, 1979.

HARDY, Phil, *The Aurum Film Encyclopedia: Horror,* Londres, Aurum Press, 1985.

HOBERMAN, J., y ROSENBAUM, J., *Midnight Movies,* Nueva York, Da Capo Press, 1991.

JUNG, C.G., *Die Archetypen und das Kollective Unbewusste,* Olten, Walter-Verlag AG, 1976 (trad. cast.: *Arquetipos e inconsciente colectivo,* Barcelona, Paidós, 1990).

KAMINSKY, Stuart M., *American Film Genres,* Ohio, Pflaum, 1974.

KRACAUER, Siegfried, *From Caligari to Hitler,* Princeton University Press, 1947 (trad. cast.: *De Caligari a Hitler,* Barcelona, Paidós, 1985).

KRICHBAUM, J., y ZONDERGELD, R.A., *Dictionary of Fantastic Art,* Londres, Barron's, 1985.

KRISTEVA, Julia, *Powers of horror: an essay on abjection,* Nueva York, Columbia University Press, 1982.

LACLOS, Michel, *Le fantastique au cinéma,* París, Jean Jacques Pauvert, 1958.

LATORRE, José María, *El cine fantástico,* Barcelona, Fabregat, 1987.

LATORRE, José María, «Hammer Films: los fabricantes de terror», *Dirigido por...,* n. 12.

LATORRE, José María, «El cine fantástico como género», *Dirigido por...,* n. 46, 47, 48 y 50.

LATORRE, José María, «Variaciones sobre un *fantastique* sin transgresión», en *La moralidad del cine,* Oviedo, Fundación Municipal de Cultura, 1991.

LEE, Walt, comp., *Reference guide to fantastic films: Science Fiction, Fantasy and Horror,* 3 vols., Los Ángeles, Chelsea-Lee Books, 1972.

LENNE, Gérard, *Le cinéma fantastique et ses mythologies,* París, Henri Veyrier,[2] 1985.

LENNE, Gérard, *Histoires du cinéma fantastique,* París, Seghers, 1989.

LOVECRAFT, H.P., *Supernatural Horror in Literature,* August Derleth, 1965 (trad. cast.:*El horror en la literatura,* Madrid, Alianza, 1984).

MARÍ, Antoni, comp., *El entusiasmo y la quietud*, Barcelona, Tusquets, 1979.

MCCONNELL, Frank D., *The Spoken seen. Film & the Romantic Imagination,* Baltimore-Londres, The Johns Hopkins University Press, 1975 (trad. cast.: *El cine y la imaginación romántica,* Barcelona, Gustavo Gili, 1977).

MÉRIGEBAU, Pascal, y BOURGOIN, Stéphane, *Série B,* París, Edilig, 1983.

MICHEL, Jean-Claude, y SCHLOCKOFF, Alain, *Cinéma d'Aujourd'hui,* n. 7 (bibliografía).

MULVEY, Laura, «Visual pleasure and narrative cinema», en *Screen* 16, n. 3, otoño de 1975, reproducido en NICHOLS, Bill, *op. cit.* vol. II.

NICHOLS, Bill, comp., *Movies and methods,* vols. I y II, Berkeley-Los Ángeles, University of California Press, 1976-1985.

NIETZSCHE, Friedrich, *Die Geburt der Tragödie*, Leipzig, E. W. Fritsch, 1871 (trad. cast.: *El nacimiento de la tragedia,* Madrid, Alianza, 1981).

PIRIE, David, *A heritage of horror: the English Gothic Cinema 1946-1972,* Londres, Gordon Fraser, 1973.

PIRIE, David, *El vampiro en el cine,* Madrid, Centropress, 1977.

PRAWER, S.S., *Calilgari's children: the film as tale as terror,* Oxford, Oxford University Press, 1980.

PRÉDAL, René, *Le cinéma fantastique,* París, Seghers, 1970.

RODLEY, Chris, *Cronenberg on Cronenberg,* Lòndres, Faber and Faber, 1992.

ROSS, Philippe, *Les visages de l'horreur,* París, Edilig, 1985.

SABATIER, Jean Marie, *Les classiques du cinéma fantastique,* Balland, 1973.

SÁEZ, Elena, comp., *Georges Franju,* Málaga, XVI Semana Internacional de Cine de Autor-Filmoteca Española, 1988.

SÁNCHEZ BIOSCA, Vicente, «Palabra y moral del delirio: ¿a quién habla el terror?», en *La moralidad del cine,* Oviedo, Fundación Municipal de Cultura, 1991.

SCHRADER, Paul, *Trascendental Style in Film,* Nueva York, Da Capo Press, 1988.

SIEGEL, J.E., *Val Lewton. The reality of terror,* Londres, Secker and Warburg Ltd., 1972.

SPOTO, Donald, *The Dark Side of Genius: The Life of Alfred Hitchcock*, Nueva York, Ballantine, 1983 (trad. cast.: *Alfred Hitchcock: la cara oculta de un genio,* Barcelona, Ultramar, 1985).

SPOTO, Donald, *The art of Alfred Hitchcock,* Nueva York, Doubleday, 1979.

TODOROV, Tzvetan, *Introduction à la littérature fantastique,* París, Seuil, 1970 (trad. cast.: *Introducción a la literatura fantástica,* Buenos Aires, Tiempo Contemporáneo, 1972).

TONE, Pier Giorgio, *Carl Theodor Dreyer,* Florencia, La Nuova Italia, 1978.

TRÍAS, Eugenio, *Lo bello y lo siniestro,* Barcelona, Seix Barral, 1982.

TWITCHELL, J.B., *Dreadful Pleasures: An anatomy of modern horror,* Nueva York, 1985.

TRUFFAUT, François, *Le cinéma selon Hitchcock*, París, Robert Laffont, 1966 (trad. cast.: *El cine según Hitchcock,* Madrid, Alianza, 1974).

TUDOR, Andrew, *Monsters and Mad Scientists. A cultural history of the horror movie,* Oxford-Cambridge, Basil Blackwell, 1989.

VAX, Louis, *L'art et la litérature fantastiques,* París, Presses Universitaires de France, 1960.

VAX, Louis, *Les Chefs d'Oeuvre de la littérature fantastique,* París, PUF, 1979 (trad. cast.: *Las obras maestras de la literatura fantástica,* Madrid, Taurus, 1980).

VERNET, Marc, *Figures de l'absence,* París, Éditions de l'Étoile, 1988.

VV.AA., *Jacques Tourneur,* Madrid-San Sebastián, Filmoteca Nacional-Festival Internacional de Cine de San Sebastián, 1988.

VV.AA., *Terence Fisher & Hammer Films: una herencia de miedo, Nosferatu,* n. 6, 1991.

VV.AA., *Terrores íntimos,* Sitges, Festival Internacional de Cine Fantástico, 1985.

VV.AA., «Terroríficamente modernos» y «De la B a la Z», *Dezine,* n. 1 y 3, 1991.

WATERS, John, *Shock value* (trad. franc.: *Provocation,* Editions Clancier-Guenaud, 1984).

WOOD, Robin, «An introduction to the American Horror Film», en WOOD-LIPPE, *op. cit.,* reproducido en NICHOLS, *op. cit.,* vol. II, págs. 195-220, 1979 (citado por éste).

WOOD, Robin, *Hitchcock's Films,* Londres, A. Zwemmer Limited, 1965 (trad. cast.: *El cine de Hitchcock,* México, Era, 1968).

WOOD, Robin, y LIPPE, Richard, comps., *The american nightmare: essays on the horror film,* Toronto, Festival of Festivals, 1979.

WRIGHT WEXMAN, Virginia, *Roman Polanski,* Londres, Columbus Books, 1985.

ÍNDICE DE PELÍCULAS CITADAS

Alien (1979), 48, 49
Amanecer (1927), 65
Amenaza en la sombra (1973), 142

Baile de los vampiros, El (1967), 145, 146, 147, 149
Beast with Five Fingers, The (1946), 100
Body Snatcher, The (1945), 105

Cabeza borradora (1976), 159
Carrie (1977), 143, 173
Colinas tienen ojos, Las (1977), 155, 169
Crepúsculo de los dioses, El (1950), 29-30
Crímenes del museo de cera, Los (1953), 42, 101, 104
Cuervo, El (1935), 94n
Cuervo, El (1963), 127
Curse of the werewolf, The (1961), 115n

Dama del lago, La (1947), 31
Damn Yankees (1958), 43
Día de los muertos, El (1985), 155n
Doble asesinato en la calle Morgue (1932), 93, 100
Doctor Frankenstein, El (1931), 76-78, 80, 90, 110
Dos caras del doctor Jekyll, Las (1960), 115n
Drácula (1931), 71, 74-76, 83, 86, 90, 110
Drácula (1958), 113, 115-120
Drácula (1992), 194n
Drácula, príncipe de las tinieblas (1965), 111, 120-122, 139

En nombre de Caín (1992), 194n
Espíritu burlón, Un (1945), 43
¡Estoy vivo! (1974), 155
Estrangulador de Boston, El (1968), 47
Exorcista, El (1972), 141, 142, 143, 155
Exorcista II: el hereje, El (1977), 140, 159

Fantasma de la calle Morgue, El (1954), 71, 103
Fantasma de la Ópera, El (1925), 42, 73
Fantasma de la Ópera, El (1943), 42, 99-100, 101
Fantasma de la Ópera, El (1962), 115n
Fantasma del Paraíso, El (1974), 171
Fascinación (1976), 171
Fotógrafo del pánico, El (1960), 19n, 27, 28, 42, 47, 131, 132-135
Frankenstein and the monster from hell (1973), 120n
Frankenstein created woman (1966), 120n
Frankenstein y el hombre-lobo (1943), 96, 99n, 100

Furia, La (1978), 173

Gabinete del doctor Caligari, El (1919), 62-64, 68, 76, 94n
Gatopardo, El (1963), 120
Ghost Ship, The (1943), 105
Golem, El (1920), 62
Gorgon, The (1963), 122n

Henry, retrato de un asesino (1988), 177-179
Hermanas (1973), 155, 171
Héroe anda suelto, El (1968), 149, 150, 157, 158
Historias de terror (1962), 126
Historias extraordinarias (1967), 151
Hombre-lobo, El (1941), 94-96, 97, 99n
Hombre y el monstruo, El (1932), 79-81
Hundimiento de la casa Usher, El (1960), 123, 125

I walked with a zombie (1943), 107
Inseparables (1988), 51, 176, 177
Isla de las almas perdidas, La (1933), 87-88, 96

Januskopf, Der (1920), 65
Jorobado de Notre-Dame, El (1923), 73, 98

King Kong (1933), 34, 83, 84, 85-86, 88, 94n

Last Wave, The (1977), 159
Legend (1985), 37
Legión de los hombres sin alma, La (1932), 86-87
Llegada del tren, La (1895), 25
Lobo humano, El (1935), 81-82, 90

M (1931), 47
Maldición de Frankenstein, La (1957), 111, 113, 116
Malpertuis (1972), 142
Malvado Zaroff, El (1932), 42, 84-85
Máscara de la muerte roja, La (1964), 126, 127
Máscara del demonio, La (1960), 129-131
Matanza de Texas, La (1974), 27, 156-159, 161, 162
Mistery of the wax museum (1933), 102
Momia, La (1932), 82-83
Momia, La (1959), 115n
Mosca, La (1958), 50-51
Mosca, La (1986), 50-51, 176, 177
Mujer del cuadro, La (1944), 63
Mujer pantera, La (1942), 106-107
Muriel (1963), 38

Noche de Halloween, La (1978), 19n, 27, 161-163, 164, 166, 174, 180
Noche de los muertos vivientes, La (1968), 143, 144, 152-154, 155n, 156, 157, 158
Nosferatu, el vampiro (1921), 62-63, 64-66, 74
Novia de Frankenstein, La (1935), 78-79, 80
Novias de Drácula, Las (1960), 118-120, 122

Obsesión, La (1961), 124, 125-126

Ojos sin rostro, Los (1959), 42, 131, 133n, 134, 135-136
Orrible segreto del dottore Hichcock, L' (1963), 129n
Otro, El (1972), 141

Pájaros, Los (1963), 133
Parada de los monstruos, La (1932) 88-91, 93, 110
Péndulo de la muerte, El (1961), 124, 125
Perro de Baskerville, El (1959), 122n
Persona (1966), 150
Pesadilla en Elm Street (1985), 166, 169-171, 172, 174, 174n
Picnic en Hanging Rock (1975), 159
Poltergeist: fenómenos extraños (1982), 158
Posesión infernal (1982), 167-169, 170, 172, 175
Profecía, La (1976), 159
Psicosis (1960), 19n, 27, 28, 30, 42, 131, 133, 133n, 134, 144, 172n, 174

Rabia (1976), 155
Repulsión (1965), 140, 145-146, 147, 149, 152, 156, 157, 158

Satanás (1934), 91-93
Scanners (1980), 175
Seis mujeres para el asesino (1964), 129, 130, 131
Semilla del diablo, La (1968), 145, 147-148, 149, 152, 156, 157, 158
Silencio de los corderos, El (1991), 166, 179, 184
Sólo un ataúd (1967), 38
Sombra de una duda, La (1942), 47

Tabú (1931), 65
Terror, The (1963), 127, 150
Terroríficamente muertos (1987), 167
Tiburón (1975), 144, 159
Tomb of Ligeia (1964), 126, 127
Tres caras del miedo, Las (1963), 129, 130, 131

Última casa a la izquierda, La (1972), 169

Vampiri, I (1956), 129n
Vampyr (1930), 62, 67-68, 86
Vargtimmen (1968), 149, 150-151, 158
Vestida para matar (1980), 166, 171-172
Videodrome (1982), 175
Viernes 13 (1980), 41, 48

Zíngara y los monstruos, La (1944), 96, 97-98, 100
Zombi (1979), 155n
Zona muerta, La (1983), 175, 176, 177